W9-CDL-354

son imparatorluk
osmanlı İLBER ORTAYLI

son imparatorluk
osmanlı

İLBER ORTAYLI

Bu kitap
Emine Eroğlu'nun *yayın yönetmenliğinde*
Adem Koçal'ın *editörlüğünde*
yayına hazırlandı.
Kapak tasarımı **Ravza Kızıltuğ**
tarafından yapıldı.
1. baskı 2006 Ekim - 15.000 adet
olarak yayımlandı.
Kitabın Uluslararası Seri Numarası
(ISBN) : 975-263-490-7

Kapak Fotoğrafı:
Kürşat Bayhan (İlber Ortaylı)
Hakan Öge (Tarihi Yarımada)

Baskı ve cilt:
Sistem Matbaacılık
Yılanlı Ayazma Sok. No: 8
Davutpaşa-Topkapı/İstanbul
Tel: (0212) 482 11 01

TİMAŞ YAYINLARI

İrtibat : Alayköşkü Cad. No: 11
Cağaloğlu / İstanbul
Telefon *: (0212) 513 84 15*
Faks *: (0212) 512 40 00*

www.timas.com.tr
timas@timas.com.tr

TİMAŞ

TİMAŞ YAYINLARI/1570
TARİH/29

©Eserin her hakkı anlaşmalı olarak Timaş Yayınları'na aittir.
İzinsiz yayınlanamaz.Kaynak gösterilerek alıntı yapılabilir.

Sevgili Ergun'a

18.12.06

son imparatorluk
osmanlı İLBER ORTAYLI

TİMAŞ YAYINLARI
İSTANBUL 2006

İLBER ORTAYLI

1947 yılında doğdu. Ankara Üniversitesi Siyasal Bilgiler Fakültesi (1969) ile Ankara Üniversitesi Dil Tarih Coğrafya Fakültesi Tarih Bölümü'nü bitirdi. Chicago Üniversitesi'nde master çalışmasını Prof. Halil İnalcık ile yaptı. "Tanzimat Sonrası Mahalli İdareler" adlı tezi ile doktor, "Osmanlı İmparatorluğu'nda Alman Nüfuzu" adlı çalışmasıyla da doçent oldu. Viyana, Berlin, Paris, Princeton, Moskova, Roma, Münih, Strasbourg, Yanya, Sofya, Kiel, Cambridge, Oxford ve Tunus üniversitelerinde misafir öğretim üyeliği yaptı, seminerler ve konferanslar verdi. Yerli ve yabancı bilimsel dergilerde Osmanlı tarihinin 16. ve 19. yüzyılı ve Rusya tarihiyle ilgili makaleler yayınladı. 1989–2002 yılları arasında Siyasal Bilgiler Fakültesi'nde İdare Tarihi Bilim Dalı Başkanı olarak görev yapmış, 2002 yılında Galatasaray Üniversitesi'ne geçmiştir. Halen Topkapı Sarayı Müzeler Müdürlüğü Başkanı görevini de yürütmektedir. İlber Ortaylı, Uluslararası Osmanlı Etüdleri Komitesi Yönetim Kurulu üyesi ve Avrupa İranoloji Cemiyeti üyesidir.

Diğer Eserleri
Tanzimat'tan Sonra Mahalli İdareler (1974)
Türkiye'de Belediyeciliğin Evrimi (İlhan Tekeli ile birlikte, 1978)
Türkiye İdare Tarihi (1979)
Alman Nüfuzunda Osmanlı İmparatorluğu (1980)
Gelenekten Geleceğe (1982)
İmparatorluğun En Uzun Yüzyılı (1983)
Tanzimat'tan Cumhuriyet'e Yerel Yönetim Geleneği (1985)
İstanbul'dan Sayfalar (1986)
Studies on Ottoman Transformation (1994)
Hukuk ve İdare Adamı Olarak Osmanlı Devletinde Kadı (1994)
Türkiye İdare Tarihine Giriş (1996)
Osmanlı Aile Yapısı (2000)
Tarihin Sınırlarına Yolculuk (2001)
Osmanlı İmparatorluğu'nda İktisadi ve Sosyal Değişim (2001)
Osmanlı Mirasından Cumhuriyet Türkiye'sine (Taha Akyol ile birlikte, 2002)
Osmanlı Barışı (2004)
Kırk Ambar Sohbetleri (2006)
Osmanlıyı Yeniden Keşfetmek (2006)

İÇİNDEKİLER

ÖNSÖZ

Son İmparatorluk Osmanlı, Osmanlı ekseninde yaptığım birtakım konuşmalarımın kitap haline getirilme projesinin ikinci cildidir. Bunlar çeşitli iletişim araçlarındaki yaptığım konuşmalardır. Bir nevi umumî konferans mahiyetindeki Osmanlı üzerine yorumlamalardır.

Akdeniz havzasındaki üç tarihî imparatorluktan birini kuran ve eritenlerin torunları ve çocuklarıyız. Osmanlı İmparatorluğu tarihin gerçek anlamdaki son üniversal, yani beynelmilel, cihanşümul imparatorluğudur. Osmanlı'nın tarihini, kimliğini bilmek ve anlamak o kadar kolay değil; bütün etrafımızı, yani yeryüzünün en esaslı uygarlıklarını tanımamız, incelememiz lazım. Osmanlı'yı, etrafımızı tanıdıkça, kendimizi daha çok sevecek ve tarihimize ısınacağız.

Kitapta; *Osmanlı,* yani klasik imparatorlukların, dünyada medeniyeti ve siyasi coğrafyayı oluşturan imparatorlukların, sonuncusu ele alınmıştır. Osmanlı tarihine ait bahisleri, siyasi olayları, kurumları, kişileri ve Osmanlı'nın diğer devletlerle olan ilişkilerini bir sohbet havası içinde tek tek anlatıyoruz. Bu ele alış sırasında eğitim kitaplarında ve müfredatta yer almayan konulara, detaylara değiniyoruz. Okuyucu bunları serimizin ilk kitabı *Osmanlı'yı Yeniden Keşfetmek*'te fark etti ve ilgiliyle okudu. Bu yüzden Osmanlı üzerine bahisleri ikinci belki ileride üçüncü bir kitap halinde çıkarmak hâsıl oldu. Bunu gerekli bir vazife olarak görüyorum ve memnuniyetle yerine getiriyorum. Hiç şüphesiz bazı iddialarımız tenkite ve tartışmaya açıktır.

Konuşmalarımı deşifre eden Engin Atatimur'un kızı sevgili Neslihan Atatimur'a, eserin redaksiyonunda bana çok yardımı dokunan değerli dostum Ali Berktay'a, kitabın editörü Adem Koçal'a ve kitabı yayımlayan Timaş Yayınları'na teşekkürü bir borç bilirim. Umut ederim kitap beklenen ihtiyacı karşılayacaktır.

Ekim 2006
İlber Ortaylı

GEÇMİŞİ DÜŞÜNEREK ANMALIYIZ

Osmanlı, imparatorluktu; bütün imparatorluklar gibi dağılmak için doğmuş ve büyümüştü. Ama klasik dünyanın şartları ve renkleri içinde doğan bu imparatorluk hukuken sona erdiğinde, onun devamı olan Türkiye Cumhuriyeti'ni aynı dönemde kurulan Avusturya Cumhuriyeti ile karşılaştıramayız. Zira Türkiye Cumhuriyeti olayında; imparatorluk adeta uluslaşmıştır ama bünyesinde eskiyi elan devam ettiren bir konumdadır. Renkli bir coğrafya, devam eden dinamizm, gelişim ve genç nüfus; eski imparatorluğun kurumlarıyla devamını sağlamaktadır. Bundan başka imparatorluğun eski parçalarındaki dağınık etnik yapının oluşturduğu bağlantılar ve olaylar "Osmanlı'nın ölüsü"nün bir ölçüde yaşadığını da gösterir.

Balkanlar, Ortadoğu ve Kafkasya ulusçu hareketlerin hem de çoğunlukla mikro-milliyetçilik düzeyinde patladığı bir bölgedir...

Ulusçuluk Osmanlı İmparatorluğu'na gelmiş diye biliyoruz; doğru ama aynı zamanda imparatorluk bu ulusçuluklara bugünkü güçlerden daha güçlü, inatçı ve tecrübeli bir entrika (desîse) düzeniyle karşı durmuştu. Gayet somut bir örnek vermeliyiz; Filistin'de Yahudiler vardı. 16. asırda İspanya ve İtalya'dan gelen göçün de etkileri oldu ve Safed'e ve diğer Filistin beldelerine yerleşenler oldu. Ama asıl 19. asırda Doğu Avrupa'dan gelen Siyonist göçle birlikte Filistin'in yerli Araplarıyla ilk sürtüşmeler de başladı. Ama Britanya'nın 30 yıllık yönetimi (1917-1948) gibi bir rezalet ve karmaşa da görülmedi. Birbirleriyle Kutsal Mezar Kilisesi'nin (St. Sépulcre) bakımı ve muhafızlığı için çatışan Hıristiyan mezheb ve cemaatleri görmezden gelip; kilisenin anahtarını Müslüman bir aileye irsen teslim etmek Osmanlı'nın idari üslûbudur.

Bugün karışan Doğu dünyasında uluslar sorununun kökleri Osmanlı devrine gidiyor. Çözümsüzlükler kadar çözüm ümidi de Osmanlı döneminde yatıyor. En azından dinî cemaatlerin kavga ettiği Lübnan'da çözümsüzlüğün, yurdundan edilen Filistinlilerin arasında iç çözüm modelinin unsurları Osmanlılıkta aranıyor. Birinciler Osmanlı Cebel-i Lübnan Nizamnamesi'ni (aslında bu statünün tatbikinde daha suçlu olan Fransız manda modeliydi) sorunun temeli olarak gösterirken; öbürküler Kudüs ve "Tarafsız Bölge"nin gelecek yönetimi için Osmanlı yönetim modelini (özellikle 19. yüzyıl) öneriyordu. Bosna ve Kosova olayları da bunun gibi zıt öneriler getiriyor. Kısacası Osmanlılık her yerde somut görüntülerle yaşayıp tartışılıyor. Aslında, bir bakıma Eski Roma modelinin devamı olan klasik bir imparatorluğun Yeniçağ'ı hatta sanayi çağının Doğu Avrupa ve Doğu Akdeniz'ini nasıl biçimlendirdiği dahi başlı başına tartışılacak bir sorun...

Osmanlılık kaynağı belirsiz bir ortaklık kültürüdür. Haleb'in tatlılarını Balkanlar'a; Balkanlar'ın mimari biçimini Doğu'ya; Farsçayı Sırpçaya, Rumcayı Arapçaya taşıyan tarihî bir dönemdir. Belgrad'ın ortasında Teraziye bulvarında gezerken vakti sorarsanız "yedn saat" diye cevab gelir. Mısır'da kibarlar birbirine "efendim" diye hitap ederler. (Efendi, orta Yunanca bir kelimedir).

Yenikapı, Kumkapı, Sultanahmet Meydanı, Ayasofya Camii, Kızkulesi ve Üsküdar. *Rouargue Fréres.*

Osmanlılık bir karışımdır. Türklük bunun içinde "temel aktör"dür. Hem de Arapça tabirler saf Türkçeye, daha ziyade 19. yüzyıl askerî modernleşmesiyle girmiştir. Bürokrasinin dili Türkçedir. Asırdan asıra koyulaşan Arapça-Farsçalı bu dil 9. yüzyılda sentaks (cümle yapısı) bakımından bugünkü biçimine ulaşmıştır. Bu arada Balkan dillerinin *Turcismeler*'le (Türkçe unsurlarla) zenginleştiği bir gerçektir. Bulgar dilinin %10'undan fazlası, modern halk Yunancasının da buna yakın oranı Türkçeden gelmiş. Bunlar tabiî Farsça ve Arapçayı da içeriyor. Türkçe bugün Balkanlar'da sanayi ve ticaret dili olarak kullanılıyor; ama asıl tarihî filolojinin vazgeçilmez bir dilidir.

Özel mülkiyet bir kısım Balkan halkları için bugün bir sorun olmaktan çıkmıştır, ama Yunanistan, Suriye, Lübnan ve Filistin'de Osmanlı tapu nizamı bilinmeden alım satım işlemi yapmak mümkün değildir. Osmanlı hâkimiyeti Balkanlar ve Ortadoğu'nun bürokratik ve askerî geleneğini tahrip etmiştir. Etrafındaki ülkelerin içinde sadece Türkiye'nin bürokratik askerî yapısı ve diplomasi geleneği öbürlerine göre tutarlıdır. Bir de şaşılacak keyfiyet; bölgeye sonradan gelen Yahudilerin kurduğu İsrail'de bu gelenek güçlü olarak yaratılmış. Diğerlerindeki aksaklıkların; Türklerin dört-beş asır süren yönetiminin kalıntısı olduğu açıktır. Bizzat Ortodoks Kilisesi'nin ulusçu parçalanması bile Fener Patrikhanesi'ne 15. asırda bahşedilen hegemonyanın ve o hegemonyaya 19. asırda duyulan ulusçu tepki ve ayaklanmaların sonucudur. Balkanlılar Bab-ı âli'den çok Fener Patrikhanesi ile boğuşmak zorunda kalmıştır ve bu gerginlik devam ediyor. Birbirleriyle barışık ve geçmişi geçmişte bırakan Balkan ve Ortadoğu dünyası yok. Bu da Osmanlı'nın kalıntısı...

**

Birtakım adamlarımız Yunan-Latin kültürünü Arap-Fars medeniyetine zıt bir seçenek ve yeni bir medeniyet yolu olarak sunup, yeni bir toplum yaratmaya kalktılar. Oysa tarihte Yunan-Roma-Arap-Fars kültürleri sandığımızdan daha çok kaynaşmış ve birbirini daha iyi tanımış beşerî kompartımanlardır. Türkiye'de hümanist tipte bir kültür tek boyutlu olarak kurulamaz, bunun için Doğu'yu, Batı'yı kapsayan yaygın ve renkli bir öğrenim şarttır. Bu yapılmazsa ne olur? Batı medeniyetinden söz edenler Yunancasız, Latincesiz, sadece Fransızca veya sadece İngilizce bilir.

Hiçbir zaman Batı'daki aydını yetiştiren tipte Batılı eğitim görmedik, Doğulu eğitimimiz de Doğulu gibi değil; İbrancasız Arapça ile İslam araştırmaları yapıyoruz, 9., 10. asırların İsmail Buharî, Şehristanî; 12., 13. asırların Reşidüddin gibi Müslüman bilginlerinin aksine, çağımızın İslamiyet'le uğraşanları, ne Yunanca ne de İbranca biliyor.

Akdeniz uygarlığı bölünmez bir bütündür, onun bütün zamanlarına ve dört bucağına hükmetmek zorundayız. Klasik çağ dillerinin siyasi seçimle ilgisi yoktur. Bilimi bilgisayar olarak algılayan zihniyet, hâlâ üniversitelerimizin bu saydığımız dallara bigâne kalmasına sebep olmuştur. Kısacası Türkiye ortaçağını tanımıyor, ülkenin ortaçağı ve ilkçağıyla hemdem olacak filolojik yeteneğimiz yok. Mesela yer isimleri (toponimi), bu dalda uzman olmayanların kavrayacağı iş değil; İçişleri Bakanlığı'nda yer adı değiştirenlerin ise bu işleri bilmediği apaçık. (Bir ara Oğuz boylarından birinin adı olan Dodurga'yı da bilmem nece sanıp değiştirmişlerdi.)

Yeryüzünün en işlek, en renkli bölgelerinden birisiyiz. Akdeniz havzasındaki üç tarihî imparatorluktan birini kuran ve eritenlerin torunları ve çocuklarıyız. Osmanlı'nın tarihini ve kimliğini bilmek ve anlamak o kadar kolay değil; bütün etrafı, yani yeryüzünün en esaslı uygarlıklarını tanımamız lazım. Etrafımızı tanıdıkça, aslında kendimizi de daha çok severiz. Cahil bir milliyetçilik duygusu veya aşağılık duygusuyla karışık hastalıklı bir kozmopolitlik, yerini daha bilinçli bir tarih sevgisi ve anlayışına bırakır.

Bugün globalleşmeden söz edip duranlar, aslında Fatih Sultan Mehmed kadar oturaklı bir "dünya adamı" değiller. Kendinden emin ve Doğu'yu da Batı'yı da bilen bu Rönesans tipi Doğulu hükümdar örneği artık aramızda pek yok, ama diriltmemiz lazım. Türkiye, klasik diller ve Bizans araştırmaları ve öğretimiyle birlikte Arap ve Fars çalışmalarını, hem de eski Sami ve eski İran araştırmalarıyla birlikte diriltmelidir. Küçük Bahreyn adasının Arapları arasından İrfan Shahid gibi çağımızın ünlü bir Bizans tarihçisi çıktı. (*Bizans ve Araplar* adlı ünlü eserin yazarı.) Biz hâlâ amatör Bizans tartışmalarıyla, dünya görüşümüzü sergilemeye çalışıyoruz.

***

Kısacası Osmanlı'yı sadece belli tarihlerde törenle değil, yeniden düşünerek anlamalı... Aklı başında sempozyumlarla; son zamanlarda tertiplenen bazı zevkli bilimsel sergilerle anmalı. Yedi asır komşu ülkelerden çok Osmanlı ile ilişiği olan Polonya, Macaristan gibi ülkelerde daha soğukkanlı ve bilimsel olarak kutlanıyor. (İbrahim Paşa Sarayı'ndaki "Savaş ve Barış. 15.-19. Yüzyıl Osmanlı-Polonya İlişkileri Sergisi" de bu bütünün bir parçası.)

Osmanlı'nın kuruluşunu kutlamak ve düşünmek; ne şovenlik ne de Cumhuriyet'e ihanettir. Elverir ki bu kutlama aklın ve ince zevkin öncülüğünde yapılsın.

OSMANOĞULLARI VE HALİFELİK

1917–1918 yılı dünyanın altüst olduğu bir dönemdi, hiç kimsenin aklına gelmeyecek şeyler oluyordu. Büyük devletlerin başındaki tanrısal gölge sayılan hanedanlar birbiri ardına tahtlarını ve yurtlarını terk ediyorlardı. Almanya ve Almanlar, imparatorluğu ve imparatoru benimsemiş bir camia değildi, Kaiser'in gidişi hadi neyse, ama Avusturya imparatorsuz düşünülebilir miydi? II. Nikola ve ailesi ülkeyi terk edemediler dahi... İngiltere, müttefiki yeni Rusya hükümetini (Kerenskiy başkanlığında idi) gücendirmemek için Çar ailesinin iltica talebini kabul etmedi. Kerenskiy ise tahttan ettiği ve elde tutup yurtdışına bırakmadığı hükümdar ailesinin hayatını ve emniyetini koruyamadı. Bir süre sonra Bolşeviklerin eline geçen ailenin feci akıbeti malûm. Rus halkı ve tarihi uç noktalarda gidip geliyor, ihtilalden on iki sene önce St. Petersburg'da kışlık sarayda acımasızca taranan kitlelerin "Kızıl Çar" diye lanetlediği II. Nikola ve ailesi, bugün bu feci akıbetleri dolayısıyla "aziz" ilan edilmiş bulunuyorlar.

Bu olaylardan dört sene sonra eski büyük bir imparatorluğun başındaki eski bir hanedan, Osmanlılar da tahtı terk etti. Devlet reisliği, saltanat bitmişti, ama uhdelerindeki hilafet devam ediyordu. Böyle ayrı bir hilafet kurumunun ne olduğunu, ne Ankara'daki hükümet ne de Halife Abdülmecid Efendi'nin kendisi anlamıştı. Nitekim bir süre sonra çatışma su yüzüne çıktı. 1924 Martı'nda hanedan tümüyle sürgüne gönderildi. Bu noktaya kadar Birinci Cihan Harbi'nin getirdiği Avrupa dünyasının tahtsızlaşma süreci devam ediyordu. İngiltere ve İskandinav krallıkları ve Balkanlar'ın dışında Avrupa aniden cumhuriyetler kıtasına dönüşmeye başladı. Macaristan'da ise taht boştu. Adriyatik'le bağı kalmayan ülkede donanmasız amiral Horthy, kralsız bir tahtın naibi olarak hüküm sürüyordu. Balkan kralları ise diktatörlere dönüşmüştü.

Osmanlı saltanatının son yıllarında saray, siyasi hâkimiyet merkezi değildi; parlamenter bir monarşi yerleşmişti; bu anlamda İngiltere ve İsveç gibi İskandinavya monarşileri ile bir benzerlik vardı. Eğer ülkede demokrasi yerleşmemiş ve parlamento feshedilmemişse bu yönetici fırkanın (İttihat ve Terakki) eylem ve politikasının neticesiydi.

∗∗∗

Osmanoğulları ailesi diğer Avrupa hanedanları gibi değildi. Muhtelif bankalarda hazır milyonları yoktu. Bizzat son hükümdar bile fakr u zaruret içinde öldü. Çıkarken hazineyi boşaltabilirdi, doğrusu bu onursuzluğu irtikab etmedi (işlemedi). Hanedan üyelerinin önce mücevherleri satıldı, sonra geçinmek için münasip işler bulundu. Bir yandan da sarayın Türkçesi, âdetleri, yemekleri yaşatıldı ve genç hanedan üyelerinin iyi eğitim görmesine dikkat edildi. Bu nasıl yapıldı? Mültecilik şartlarında son derece zordur. Galiba Osmanoğulları, dedelerinin ve mensubu oldukları milletin zor şartlara uyum yeteneğini tevarüs ettiklerini burada da gösterdiler.

Elli yıllık sürgün döneminde Osmanoğulları, ne devlet ne millet aleyhinde kampanyalar yürüttü, ne Türkiye aleyhinde çalıştılar ne de maddi imkânsızlıklara rağmen yüz kızartıcı bir hayat süren çıktı. Fransa, Osmanlı hanedanı üyelerine hükümran bir ailenin fertleri olduğunu belirten kimlik vermişti, hepsi bu. Hayatın güçlükleriyle boğuşan insanlar üstüne üstlük etraflarında kendi adlarıyla iş çevirmeye kalkan dolandırıcılarla da mücadele etmek zorunda kalıyorlardı. Bunlar mesela, "Padişah II. Abdülhamid'in oğlu, torunu, falanım" diye cemiyet kurup para toplayan ne idüğü belirsiz biri olabiliyordu. Önce hanedan üyeleri (yani imparatorluk prensesleri, sultanlar ve çocukları), 1974 affıyla da erkek hanedan üyeleri (şehzadeler) affedilip dönebildiler. Çoğu emeğiyle yaşıyordu ve zengin olan birkaçı da kendi gayreti ve bilgisiyle bunu başarmıştı. Zira Batı ülkelerinde bizdeki gibi hortumlama yöntemleriyle servet yapılmıyor.

Af kanununa öncülük edenler solcu denen Başbakan Bülent Ecevit ve koalisyon ortağıydı, zamanın milletvekillerinin ifadesine göre mani olmak için kulis yapanlardan birinin AP'li dışişleri eski bakanlarından İhsan Sabri Çağlayangil olduğu görüldü, anlaşılmaz olaylardır.

Bugün hanedan reisi durumunda olan zat Osman Ertuğrul Efendi'dir, Sultan II. Abdülhamid'in torunudur. New York'ta yaşıyor. Eski Afgan Kraliçesi Süreyya'nın yeğeni Zeyneb Tarzi Hanım'la evlidir. Osman Ertuğrul Efendi'nin müzik ve tarih bilgisi eşsizdir. İstanbul'daki en kıdemli hanedan üyesi, son hükümdar ve son halifenin müşterek torunu olan Neslişah Sultan'dır. Osmanlılık mazideki rejim ve tarihtir, ama hanedan üyelerinin diğer Avrupalı hanedan üyelerinden (Habsburglar, Romanovlar vs.) daha seçkin, eğitimli, prestijli olduğu bir gerçek. Bir yanıyla çok daha halka yakın kişiler. Bu durumda onlara ancak kıvanç ve sıcak bir yakınlık duyulur.

***

Padişah ve maiyeti camiye giderken.

3 Mart 1924'te; tam 82 yıl önce Dolmabahçe Sarayı'nın kütüphanesinde, İstanbul valisi ve Ankara'dan gelen temsilciler heyeti, unvanı yalnızca *halife* olan son halife Abdülmecid Efendi'ye Millet Meclisi'nin kararıyla bu görevinin sona erdiğini ve kanun gereği yurtdışına çıkarılacağını tebliğ ettiler. Halifenin itirazı ve kalmakta diretmesi faydasızdı; birkaç saat içinde Sirkeci Garı'nda alâyiş olmaması için en yakın yardımcılarıyla Çatalca'ya gönderildi ve orada bekletilen trene ilave edilen vagonla yurdu terk etti. Bir hafta içinde Osmanlı hanedanı üyeleri yani şehzade ve sultanlar da aynı şekilde sürgün edildi.

Osmanlı geleneğinde; hanedan üyesi demek, padişahın ve erkek evlatlarının sulbünden gelen erkek ve kadınlardır. Bunlara Avrupa dillerinde imparatorluk prensi ve prensesi denir. Onların evli olduğu erkek ve kadınlar, prenseslerin hanım sultan denen kız çocukları ve beyzade denilen oğulları hanedan üyesi sayılmazlar; men-

SON İMPARATORLUK OSMANLI

subudurlar. Dolayısıyla eşlerin ve bu durumdakilerin yurtdışına gitmesi gerekmiyorken, çoğu küçük yaşta olduğundan veya yalnız kalamayacağından ebeveynlerini veya eşlerini izleyerek kafileye katıldılar. Hükümet sürgünlere adam başına biner sterlin, dönüşü olmayan birer pasaport ve makul miktarda mücevher çıkartabilme hakkı tanımıştı. Hanedan üyelerinin malvarlıkları bazı istisnalar dışında müsadere edilmemişti. Ama bu emlakın, memlekette kalacak yakınlar tarafından çarçur edildiği veya o yıllarda emlakın bugünkü kadar para etmediği düşünülürse, gidenlerin uğradığı mali güçlük tasavvur edilebilir.

Birinci Dünya Savaşı'ndan sonra tahtını kaybeden diğer hükümdar ailelerine göre; onların bu devleti ve yurdu sever tutumlarını takdir etmeliyiz. Hanedanın genç üyeleri yurtdışında imkânsızlıklara rağmen tahsillerini gördüler. İçlerinde Avrupa ve Amerika'da en seçkin çevrelerde hayranlık uyandıracak yerler edinenler vardır.

Halife Abdülmecid Efendi kültürlü bir şehzadeydi. Resim yapıyordu ve bazı tabloları müzeliktir. Ama asıl önemlisi, güçlü bir bestekâr oluşudur. Abdülmecid Efendi mütareke dönemi ve İstiklal Savaşı sırasında Anadolu hükümetiyle olumlu ilişkiler kurmuştu; bununla birlikte halifenin —bazı hanedan üyelerinin de belirttiği gibi— siyasetten anlamadığı, Ankara hükümetiyle dengeli ilişkiler sürdürmek yerine alâyişli selamlık alayları tertiplediği, hatta bunlardan birinde Fatih Sultan Mehmed kıyafetiyle geçtiği biliniyor. Maalesef protokol ve bütçe işlerinde de ölçülü bir idare kuramamıştı ve Ankara'yla gerilimli ilişkilere girdi. Yeni cumhuriyetin iktidar savaşına tahammülü yoktu. Esasen hilafet kurumu da, iktidarın dışında kalmak gibi garip bir hukuki konumla bağdaşamazdı. Zira hilafet ruhani bir makam değildir. Dünyevi iktidar sahibi olmak gerekir. Bu sonuç kaçınılmazdı.

Hilafetin kaldırılmasına tek önemli dış tepki Hindistan'dan geldi. Hint Müslümanları, İngiliz idaresine karşı "ruhani reis" halifenin emirlerini bahane ederek karşı koyarlardı. Esasen Pakistan ve Bangladeş'in bugünkü politikalarına bakarsak, Hint Müslümanlarının Türkiye'deki her yönetime bağlı olduklarını söylemek mümkündür. Arap dünyası çoktan beri hilafet denen müesseseyi kendilerine ait bir hak olarak görürdü. Tabiî o onların kanaatidir. TBMM hilafeti kaldırınca ne Mısır'ın ne de Faysal ailesinin bu konudaki girişimleri taraftar bulabildi. Hilafetin bu asırda restore edilmesi mümkün mü? Şüphesiz hayır. Bu kadar çok milli devletin, liderlik iddiasının ve maalesef mezhep çatışmalarının dorukta olduğu İslam dünyasında bu kurumun ihya edilmesi mümkün değildir. Bir yerde herkes kendinin halifesidir. Hilafetin kime nasıl geçeceği konusunda da sarih hüküm yoktur. Hilafet iktidar ister. Cihanşümul iktidar Osmanlı ile tarihe karışmıştır. Hilafetin de ismi kalmıştır ve 19. yüzyıl Osmanlı hilafeti gibi bir kurumu ne İslam dünyası bir daha kurabilir ne de dış dünya aynı şekilde kabul edebilir.

Türkiye'de saltanat ve hilafetin avdet edeceği endişesi, kuru gürültüdür. Kimsenin böyle bir iddia ve gayreti yoktur. "Kubbede baki kalan hoş seda" gibi hafif sloganlara da lüzum yoktur. Tarihin sedası hoş olmaktan çok, gökgürültüsü gibi hacimli ve bitmeyen bir yankı gibidir. Geçen altı asır; komşu yirmi küsur halkın ve en başta bizim tarihimizdir. Ona sıcak bir ilgi, bilimsel bir araştırma ve düşünce ile yaklaşmamız gerekir.

TARİH VE OSMANLI TARİHİNE YAKLAŞIM

Tarih derken, kelimelerin üzerinde durmak lazım. Bir tanesi *historia*, ikincisi *tevârîh*, üçüncü tabir bilhassa tarih felsefesi açısından geçecek olan *resgestae*'dir.

Historia, Latinlerin tarih kelimesi, aslı Yunanca; somut bir malzeme, müşahhas bir malzeme, bilgi demek. Arapçadaki tarih kelimesinin kökü ay bilgisi demek, yani takvim bilgisi; çok müşahhas. Resgestae, Latince'de 'res' 'şeyler' demek; 'gestae' ise 'hatt-ı harekât, tavır, hareket' anlamındadır. Demek ki Titus Livius'un büyük eserine baktığımız zaman, *Resgestae Populi Romani*, 'Roma halkının serencamı, şanlı yürüyüşü' demek olabilir. Bu, Augustus-Claudius devrinde yaşayan Romalı tarihçinin eserinin adı. Almanca tarih kelimesi 'Geschichte' hikâye demek, *story* değil ama 'olmuş' anlamı var içinde çünkü.

Tarih dendiğinde Herodotos akla geliyor. Ama eserini okuduğunuzda burada "tarih nerede" diye şaşırabilirsiniz. Bir yerde olayları anlatıyor; fakat olayları anlatmaktan çok o yerin coğrafyasının tahlilini, çevrenin tahlilini yapıyor. Bu tahlili yaparken bir müesseseyi, bir âdeti, bir olayı anlatmak için kimi zaman rivayetlere dayanıyor; hatta kimi zaman mitolojiye kadar gittiği oluyor. O zaman bunun tarih ve gerçeklikle ilgisi ne diyorsunuz. Yani destandan nasıl ayrılıyor? Çok basit: Onun -mitolojinin aksine- doğrudan doğruya yaşadığı gün ve çevreden hareket etmesi söz konusu. Bu sağlam bir yöntem. Netice itibariyle gözlediğine, gördüğüne, tahkik edebildiğine dönüyorsun. Görünen ve dokunulan öbür bilgiyi ayıklayabilir. Gerçi bu ayıklanan bilgi de (mitoloji) kültürel yapıyı veriyor.

Tarih nedir?

Bu sorunun cevabı olarak ciltlerle kitap yazılıyor. Aslında, tarih felsefesinin muhtemelen bu olması gerekir. Kısacası tarih, bizim şuurumuzun eseridir diyenler var. Yani biz öyle bakmasak, tarih diye bir bütün olmaz. Vakıa, dünya var, âlem var, canlılar var; ama bunlar hiçbir şekilde zaman üzerinde durmuyorlar. Çünkü öleceğini bilerek yaşayan tek mahlûk insandır. Öleceğini bilerek yaşayan tek mahlûk insanın geleceğe bir merakı vardır ve geçmişi de bilir; bunu da mütalaaya alır. Dolayısıyla ortaya tarih denen bir zihin faaliyeti, bir düşünce çıkar.

Zaman nedir? Herkese göre sınırlıdır. Bir Hıristiyan için bu; "*Deus inquit sit*" (Allah 'ol' dedi), yani âlemin oluşumuyla başlayan bir süreç... Kimisi için çok daha karmaşık bir düşünce; âlem zaten hep vardır ve zaman da orada gitmektedir. "Zamanı da düzenleyen, aslında koordine eden, bizim kendi bilincimizdir" deniyor. Peki, bu durumda biz tarih diye nasıl pratik bir yaklaşım benimseyebiliriz?

Bu işin bilginleri, uzmanları genellikle tarihi yazılı vesikayla başlatıyorlar. Yani bir toplumu incelemeye başlamak için yazılı belge olması gerekiyor. "Biz o yazılı belge aracılığıyla, yaşayan insanlarla, mazidekilerle diyalog kuruyoruz" diyorlar. Bu çok doğru bir yaklaşım. Bunun olmadığı bir yerde siz onlara dolaylı olarak bakıyorsunuz ve diyalog kurmuyorsunuz. Bunun hepinizin bildiği gibi en tipik, en çarpıcı örneği eski Mısır tarihidir. Çünkü Mısırlılar, ki bu âlemin gelmiş geçmiş en orijinal medeniyetinin sahibidirler, uzun tarihleri boyunca yaklaşık dört bin sene çok yoğun bir biçimde sahnede kalmış, siyaset yapmış, iktisadiyat yapmış, kültür, medeniyet ve bilim yaratmış insanlardır. Bu yaptıklarını da hiç çekinmeden hem papirüslerin üzerine yazmışlar -o da yetmemiş- taşların, kayaların üzerine kazımışlardır. Biz bu muhteşem medeniyetin sahipleriyle çok uzun yıllar, ta 19. asra kadar, diyalog kuramamışız.

Yunan medeniyeti Roma İmparatorluğu içinde yaşadığı için, Yunanca her yerde konuşulmasa dahi Yunanlı olmayan milletler tarafından da biliniyor. Bizans denilen Doğu Roma safhasından sonra da İslam medeniyeti geliyor. O zaman da Yunanca bilenler var, tercümeler yapılıyor ve bu bir müddet sonra Avrupa'ya geçiyor. Yani çağdaş insanların bu medeniyetle sözlü ve yazılı olarak ilintisi kopmamıştır. Aynı şey -ölüp gitmelerine rağmen- Latince için de söz konusudur. Aynı şey İran medeniyeti için de söz konusudur. Ama Mısır'la ilintimiz kopmuştur ve biz Mısır'la ilgili dolaylı bilgi sahibiyizdir. Mesela Mısırlı rahip Manetho'nun eski Mısır hiyeroglif metinlerine dayanarak yazdığı Yunanca Mısır tarihi vardı. İlim dünyasının hayıflanmasına ve tembel talebelerin memnuniyetine neden olacak biçimde bu ünlü kütüphanenin zaman içinde yok olan eserlerinin fragmanları, yani bazı parçaları ve o eserlere yapılan göndermeler ve çok ünlülerinin kopyaları bizi halen meşgul etmeye yetiyor. Bilgimiz oradan geliyor. 5-6. asırlarda bunların Aramca, yani bugün Süryanice dediğimiz dile yapılan çevirileriyle ve 9-10. asırlarda Arapçaya yapılan çevirileriyle bu miras önemli ölçüde korunmuştur.

Ne zaman ki 19. yüzyıl başında *Jean-François Champollion* hiyeroglifi çözdü, o zaman birdenbire üstümüze böyle bir gül çuvalı gibi o medeniyetin hare ve kokusu yığılmaya başladı. Hâlâ bugün bile bu muhteşem sarhoşluğun altından kalkamıyoruz, her gün çarpıcı bilgiler öğreniyoruz. Peki yazısını bilmeseydik, bu medeniyet için hiçbir söz sahibi olamayacak mıydık? Bazı ahvalde arkeolojik malzeme, yazının kendisinden daha sağlam bir bilgi getirebilir. Yazıyla çarpıcı bilgiler nakleden metinler, arkeolojik malzemenin sağlamlığı karşısında gerileyebilirler. Bunun Mısır tarihi için örneklerini gördüğünüz gibi, Mezopotamya için de görebilirsiniz. Mezopotamya arkeolojisinde çok defa buluntular ve kazıların çıkardığı katmanlar yazılı tarihin, bazı yazılı vesikaların gösterdiği yanlış, abartılmış bilgileri düzeltmektedirler. Bunun üzerinde ısrarla duralım. O yüzdendir ki tarihçi hiçbir şekilde arkeolojiyi ve yardımcı dallarını ihmal etmemelidir.

***

Tarihçi topladığı verileri yazarken, bir edebiyatçı, bir yazın adamıdır. Burada topladığı malzemeyi adeta tuvalini istediği şekillerle, renklerle dolduran bir ressam gibi yansıtır. Mesela ilmi ve ciddi çalışan üç tarihçiye aynı konuyu verip, "Üçünüz de Osmanlı Celali İsyanları'nı yazacaksınız" diyor ve üçünün de önüne aynı vesikaları, yani arşivlerdeki mühimme kayıtlarını, vilayetlerdeki şeriyye sicillerini, name-i hümayunları veya başka kayıtları koyuyorsunuz, onlar da okuyorlar. Emin olunuz, sonunda çizilen üç resim birbirinden çok farklı olacaktır.

Bu üç resim de namuslu, bilimsel, Osmanlıcayı doğru okuyan tarihçilerin eseridir; ama üç farklı resim çıkar gözünüzün önüne. Bunlardan biri, Celali Eşkıyası dediğimiz adamın kendi trajedisini, kendi zaviyesinden çizer. Diğeri onlara Evliya Çelebi gibi bakar; çünkü orada kargaşa olmuştur, celalleri ve notları vardır. Öbürküsü bazı olayları küçümser, bazılarını vurgulayabilir ve bilahare bunun gibi konularla kompozisyon çıkabilir. Hiç şüphesiz her yeni vesika, her yeni buluntu da çorbanın tadını ve tuzunu değiştirmeye yönelecektir. İşte bundan dolayıdır ki tarihçilikte malzemenin dışında bir öğretim mümkün değildir.

Tarihçilik aslında Almanya'nın büyük Roma devri tarihçisi ve hukukçusu *Theodor Mommsen*'in dediği gibi, "bir alıştırma, bir egzersiz meselesi"dir. Tarih, devamlı konu araştırmak, devamlı okumakla öğrenilir. Peki biz tarih fakültelerinde ne öğretiyoruz? Orada öğrettiklerimiz historiyografinin, tarihyazımının teknikleridir ve o bakımdan tarihçilik bütün sosyal bilimlerin içinde en pekin, en sert, en sıkı kurallara sahip bir iştir. Aslında tarih, bizim yaklaşımımızla ne kadar ilimdir? Bu da tartışılıyor. Bazılarına göre tarih bir ilim dalıdır, bazılarına göreyse değildir. Bilimlerde usul, metot koyarken, kanun esastır ve kanunlar tekrarlanabilir, tahkik edilebilir önermelerdir. Yani mesela işte şu şu olayda, şu olur, neticesi de bu olacaktır denilebilmelidir. Kimyada yanma kanunlarını bulan Lavoisier'ye göre, "yanma oksijene tabi bir olaydır". Bunu tahkik edebilirsiniz, deneyebilirsiniz; yüzlerce, binlerce defa aynı netice ortaya çıkar. Tarihçilikte böyle bir tahkik ve böyle bir deneme mümkün değildir. Ama orada bu gibi bilimlerden, kanunlardan, yöntemlerden esinlenme söz konusudur. Teknikleri itibariyle bütün sosyal bilimler içinde tarihçilik en sıkı olanıdır. "Şu kâğıt nasıl bir kâğıttır? Bunun üstündeki nasıl bir yazıdır?" gibi sorularla işe başlarız.

Bir kâğıdın üzerinde mevcut olan yazıyı anlayabilmek için bazı usullere müracaat ederiz. Yazının kaleme alındığı devrin Türkçe üslubuna dikkat ederiz, eseri kaleme alanı tanımaya çalışırız. Ondan sonra onun ifadelerini çözeriz. Yazan tarihçiyi çok iyi tanıyan biri, üslubunun da ne olduğunu çıkartabilecektir. Bunların hepsi tekniktir. Bir Osmanlı fermanının kâğıdının cinsinden, aharlanmasından, kullanılan yazının türünden, yani divani midir, siyakat midir, nasıl kaleme alınmıştır, yazının amacını anlayabiliriz. Kullanılan lügatten ve bazı halde üsluptan, mesela *Koca Nişancı* dediğimiz Celalzade Mustafa'nın kaleminden çıktığını anlarız. O dakikada onun tarihçesi kesilmiş, yanmış, kopmuş bile olsa, deriz ki: "Bu en azından Celalzade Mustafa'nın kaleminden çıkmıştır. Olayların, çok açık olmasa bile, şu yıllara ait olduğu anlaşılmaktadır." Yazıda böylece büyük yanılmalara düşmeyiz. *Nümizmatik* dediğimiz, sikke teknikleri, para teknikleri, epigrafik malzeme dediğimiz kitabet malzemesi için de bu böyledir ve bu böyle de gider. Dolayısıyla bunların üzerinde bir laboratuar kesinliği söz konusudur.

Tarihçilik, bu bakımdan teknikleri, araştırma yöntemleri itibariyle çok kesin ve üniversal, fakat hiç şüphesiz yorumu ve resim çizmesi itibariyle de tarihçiye, zamana ve mekâna bağlı bir disiplindir. Dolayısıyla tarihçilikte nesnellik aranmaz; kalite aranır, teknik üstünlük, bilimsellik aranır. Bu çok önemli bir şeydir. Bunun üzerinde duralım. Bazı insanların kendi görüşlerini bilimsel ve objektif tarih diye tanıtmaları da, en azından nesnelliğe karşı bir tutumdur. Farklı yorumların yanında tarihçiliğin kaçınılmaz bir yönü, onun zengin bir yorum malzemesine sahip olmasıdır.

***

Osmanlı tarihini yazacak insanların sadece Osmanlıca vesikalar, kitaplar ve kaynaklarla değil, çağdaş dünyanın kaynaklarıyla da aynı derecede haşır neşir olması gerekir. Çünkü Osmanlı tarihi evrensel bir tarihtir. Beynelmilel bir tarihtir. O Macar tarihidir, Bulgar tarihidir, Yunanlıların tarihidir; hatta o, Osmanlı hâkimiyetine girmemiş Ruslar, Fransızlar ve Almanların tarihidir. Çünkü bu sonuncu grubun milli tarihleri de Osmanlı ve Türk olgusu bilinmeden anlaşılmaz; yani Balkan ve Ortadoğu halkları kadar Avrupa halkları, İranlılar ve Hintliler de Osmanlı-Türk tarihiyle iç içe geçmiştir. O yüzdendir ki bu tarihleri incelemek, o ülkelerde egzotik bir olay değildir.

Bir yandan da tarihi, objektif olarak yazma endişesi ve sorunu bulunmaktadır. Bir Avusturyalı tarihçi Osmanlı tarihine nasıl yaklaşacak? Nesnellikten söz edeceksek, onun evvela kendini milli tarihinden, dini, milli, yerel duygularından soyutlamaya çalışması gerekir.

Aydına ve halka mal olacak bir üslupla tarih yazılmadan okul kitaplarının ve halk kitaplarının meydana gelmesi mümkün değildir.

Bugünkü Türkiye'nin, Türk maarifinin, Türk kültürünün en mühim problemlerinden birisi olan ders kitapları sorunu buna bağlıdır. Tarihimiz üzerinde büyük sentezlerimiz, hoş üslubla yazanlarımız ortaya çıkmadıkça doğru dürüst okul kitabı yazmamız da mümkün değildir. Çünkü tek başına okul kitabı, milli tarihi hem bilgi, hem de yorum ve üslup olarak geliştirecek bir malzeme değildir.

Bunun üzerinde ısrarla duruyorum. Bugünkü beynelmilel kuruluşlar, tarih kitaplarının ayıklanması, yeniden evrensel, Avrupalı bir görüş ve kişilikle bu kitapların kaleme alınması üzerinde duruyorlar. Bu mümkün değildir. Her ülkenin kendi tarih görüşü teşekkül eder, bu görüşe göre tarih yazılır. İnsanların birbirleri hakkında hakaretamiz, küçümseyici ifade ve ibareleri oradan çıkarmaları icap edebilir. Bir ulusun oluşumunu izah ederken, milli tarihin meselelerini ortaya koyarken, diğerleriyle yüzde yüze yakın bir ittifaka varmak mümkün değildir. Bunu söyleyenler ya safdildir ya da şarlatandır. Nitekim tarihyazım meselesi son yıllarda bu yüzden büyük bir problem haline gelmiştir. Çok açık bir şeyin üzerinde durmamız gerekir; tarih bir nostalji konusu değildir. Ama nostalji, insanları tarihçiliğe itebilir. Yani zamanın yeknesaklığından, zamanın sorunlarından kaçmak isteyen insanlar tarihçi olabilirler. İnsanı tarih eğitimine, tarihçiliğe, tarih merakına bu yöneltir. Ama bununla tarih yazılamayacağı açıktır. Nostaljinin azı faydalı, çoğu akla zarardır ve nitekim burada saptırma ve olmayanı inşa etme de meydana gelebilir.

Çağdaş problemleri ele alarak yeniden tarih yazmak mümkündür. Bunu çok yapıyorlar, ama bu gülünç bir şeydir. Bunun en mühim örneği İsrail'de yeni bulunan *Massada* kenti yani Romalılara karşı direnen *Zelotlar* dediğimiz savaşçıların meydana getirdiği bir şehirdir. Burası çölde, Lut havzasında, çok engebeli ve çetin bir yerde küçük bir şehirdir. Burası bulunduktan sonra İsrailliler burayı milli bir tarih ve kahramanlık merkezi haline getirdiler. Bayrak çekildi ve asker bekledi. Bazı törenler burada yapıldı. Bu bir *prospec-*

tare dediğimiz, tarihin bilinmezlerini tesbit için verileri yeniden değerlendirme ve araştırma yapmaktan çok, bilinen tarihi yeniden yazma, tarihi yeniden abartarak yorumlama örneğiydi. Ama tabiî İsrailliler tarihçi bir millet olduğu için derhal bu sürecin bir abartı olduğunun farkına varıldı ve bu terk edildi. Yani bugün artık orası o şekilde bir resmî anıt olmaktan çıktı; tarihi bir vasfa sahip bir anıt olarak hayatına devam ediyor.

Osmanlı tarihinin ana kaynakları 15. yüzyıla aittir. Yani biz bütün bir 14. yüzyıl ve 15. yüzyıl başını devrin kendi kalem ve nakilcilerinden çok, sonradan kaleme alınan kaynaklardan etüd etmek zorundayız. Bu gibi durumlarda çağdaş kaynaklara müracaat edilir ve büyük metin tenkitleri ve toponimik tetkikler yapılır. Nitekim Halil İnalcık hocamızın son senelerde, ilerleyen yaşına rağmen bir genç tarih asistanı hızı ve enerjisiyle *Bitinya* dediğimiz Hüdavendigâr (Bursa ve çevresi), yani Osmanlı kuruluş bölgesinde tetkiklere, topografya tetkiklerine, arkeolojik kazılara, ekspedisyona girişmesini de böyle açıklamak gerekmektedir.

Dünya imparatorluğu tarihi yazılamaz. Kaldı ki dünyanın tarihi için milli tarihleri ve yorumları bilmek gerekir. Eğer bizim büyük terakkiler kaydettiğimiz arkeoloji gibi dallarda her şey Türkçe yazılsaydı, Türkçe öğrenilmesi gereken bir dil olacaktı. Bu, Türkiye'de son 70 yılın bir ilerlemesidir. Esasen ilmi Osmanlı tarihçiliğinde de Ahmet Cevdet Paşa'dan sonra yüzyılın başında Fuat Köprülü ve onun Osman Turan, Halil İnalcık, Mustafa Akdağ, Mehmed Altan Köymen gibi değerli öğrencileriyle çığır açılmıştır. Hiç şüphesiz ki Köprülü'nün genç bir meslektaşı olan, Ordinaryus Prof. Ömer Lütfi Barkan'ı da rahmetle ve saygıyla anmamız gerekmektedir. Bazı konularda üniversal bir tarih yaklaşımımız yoktur. Bugün Türkiye'de İlkçağ, Hititoloji'deki, arkeolojideki ilerlemelere rağmen mesela Bizans tamamen kapalı bir sahadır.

Selçuklu devrinden beri bizim devletimizin, memleketimizin adını *Türkiye* veya *Türkmenya* (*Turkmenia*) koyacak kadar bizi tanıyan arşivler ve kaynakların çoğunu barındıran İtalya, Venedik, Cenova, Floransa ve bilhassa Vatikan arşivlerini inceleyecek, İtalyanca bilen kadrolarımız yetiştirilmemiştir. Bu çok büyük bir noksan... Bizans uzmanı tabiî yoktur. Slav teknikleri konusunda henüz emekleme döneminde bile değiliz. Oysa bunlarsız Türk tarihini anlamak da mümkün değil. Kaldı ki mücavir medeniyetleri bilmeyen bir toplumun uygarlığından bahsedilemez. Oysa bizim için daha evvel çok kuvvetli olduğumuz İran, Arap tekniklerinde de bir durgunluk söz konusudur. Gittikçe bu konularda daha az adam yetiştiriyoruz. Bütün bunların yapılamadığı bir Türk tarihçiliği söz konusu değildir, olamaz. Bunları yapmayan bir milletin de aslında uygar bir millet olduğundan söz edilemez. Küreyi tanımayan, küreye fikriyatı ve bilgisiyle hükmetmeyen bir toplumun 21. yüzyılda yeri yoktur. Ama maalesef bunun üzerinde toplum olarak halen gerekli bilince ulaşmış değiliz.

Tarihi roman, tarihi tiyatro gibi eserlerimize baktığınız zaman da bu ilgisizlik görülür. Bir toplumun bütün insanları tarih okumaz. Ahalinin yüzde doksan-doksan beşi, tarih dediğimiz bilgiyi ders kitaplarıyla kapatır ve bir daha hayatı boyunca da tarih kitabı açmaz. Bu, bırakın Türkiye'yi, bütün Avrupa'da da böyledir.

Peki nedir tarihi kitlelere sevdiren? Bilhassa geçen asırda roman, tiyatrodur. Unutmayın Schiller'in *Maria Stuart*'ı, *Orléans Bakiresi*, Goethe'nin *Egmont*'u insanlara tarih bilinci vermiştir. Puşkin'in *Yüzbaşının Kızı* adlı eseri aynı rolü oynamıştır. Bunlar tarihçi adamlardır. Bilhassa *Schiller* ve *Puşkin*... Bunlara ilaveten filmlerle; *Szabo* gibi adamlar, zamanımızda *Wajda* gibi Polonya'lı rejisörler, *Passolini* gibileri adeta tarih yorumunu etkilemişlerdir.

Bir toplum -bugün sinema da yeryüzüne çıktığına göre- tarih bilgisini iyi özümleyip sinema, tiyatro, roman dalında doğru dürüst yeni yorumlarla kitlelere aktarmazsa, tarihi düşüncenin yeşermesi çok zor olur. Bunlar dediğimiz gibi uzun yollar gerektirir.

"Sanatçı tarihi gerçeğe uydurmaz" deniyor doğru; ama "Tarihi bilmez" diye bir vaka yoktur. Bu son kuralın maalesef bizim Türk sanat muhitleri arasında henüz yerleştiğini söylemek çok zordur.

TARİH BİLİNCİ VE OSMANLI'YA BAKIŞ

Sık sık tarih bilincinden söz edildiğini duyuyoruz. Tarih bilinci nedir? Bu, hiç kuşkusuz tarif edilmesi gereken bir kavramdır. Toplum bilincini şekillendiren en önemli unsur, geçmiştir. Hepimiz çok iyi biliyoruz ki, insanoğlunu "Tarih bilincine sahip olan hayvan" diye tarif etmemiz mümkündür. Yani yaşayan mahlûkatın, yaratıkların içinde geçmişini bilen, merak eden, bilmeye çalışan ve gelecek endişesi olan, bu geleceğe yönelik bazı tahminler, bilgi ve bilinç uzanımları kuran tek yaratık insandır. Bu bakımdan insanı tarih bilgisinden ve tarih bilincinden soyutlayamayız.

Hiçbir şey dünyayı ve toplumu yeniden yaratamaz, bu mümkün değildir. Toplum devamlı üreyen, devamlı ölen, nesilden nesile parçalar halinde birtakım şeyleri miras bırakan büyük bir organizmadır. Toplum dediğimiz belirli nitelikteki insanların meydana getirdiği bir camiada da bu tarih bilinci çok önemlidir. Hiç şüphesiz bu tarifleri ortaya attığımız zaman, belirli bir toplumu, bir etnik grubu yahut bir ulusu oluşturan başlıca öğelerin dil, din ve üstünde yaşadıkları coğrafya parçası olduğu ifade edilir. Bu üçünün bir araya gelişi, şekillenmesi düpedüz tarih dediğimiz olguyla gerçekleşir. Hangi dili konuşacağız? O dil tarihte neler geçirmiş? Niçin birbirine benzeyen iki dil aynı değil? Birbirinden uzak coğrafyada yaşayan iki toplum, birbirine benzeyen dili konuşuyor. Bu ayrımı bize sağlayan, nedenlerini gösteren şey tarihtir.

Niçin falan grup şu dine mensup da, öbürü değil? Çok önemli bir soru ve cevabı tarihte yatıyor. Çünkü bizzat Türk toplumunda bunu görmek mümkündür. Türkler üç büyük dinin üçüne de mensuptur. Çok küçük bir grup da olsa, ki bir zamanlar kalabalıktı, *Karaylar* Yahudi dinindendir. Çoğumuz *Karaimler* de diyoruz. Bunlar Tevrat'a inanan ve Talmut'u reddeden bir mezheptir; fakat öbür Yahudiler gibi hem Tevrat'ı hem de Talmut'u kabul eden bir Türk grup da vardır; onlara *Kırımçaklar* denir ve Kırım yarımadasındadırlar. Bir zamanlar çok daha kalabalıkken, bilhassa Alman işgalinden sonra, kıyıma uğramış bir kavimdir. Bugün artık sayıları çok azdır. Yine hepimizin bildiği gibi, sayıları kalabalık olmasa da, Romanya, Ukrayna ve Moldova'da belli bir bölgede yaşayan, hatta Bulgaristan'da da uzantıları bulunan *Gagavuz Türkleri*, Ortodoks Hıristiyandır. Şu halde, bir kavmin böyle üç ayrı din grubuna mensup olması ve çoğunluğun da Müslüman olması bizzat tarihi bir olaydır.

Kimlik, bizim dışımızda gibi görünen birtakım olaylardan, savaşlardan, istilalardan, göçlerden meydana gelen tarihin bize sunduğu dil, din ve yaşanan olayların bıraktığı izlerle oluşmaktadır. Kimliğin en önemli parçası, en vazgeçilmez unsuru olarak tarih dediğimiz olayı bilmemiz gerekiyor.

Tarihin bilgisi ve getireceği bilinç, bir toplum için çok önemlidir ve uygar milletler özellikle 18. asırdan itibaren tarih eğitimine son derece önem vermişlerdir. Maalesef Türkiye'de bu anlamda bir tarih bilgisi, bir bilgi edinme ve toplumun tarih bilincine ulaşması son asrın olayıdır.

Topkapı Sarayı, *De l'Espinasse.*

Türkiye, Cumhuriyet'in ürünüdür. Türk ulusu yeni bir devlet, yeni bir vatan kurmuştur. Bu, bizim tarihimizin olsa olsa son sayfasıdır. Evvela bilmek gerekiyor; 700 yıllık *Osmanlı tarihi,* Türk halkını oluşturan bir tarihtir. Bugünkü Türk halkının ve sadece Türk halkının değil, sınırlarımız dışında kalan Türk etnik gruplarının da tarihini içerir.

Türk ulusunun tarihi, gerçekten çok uzun, acı, tatlı, onurlu olaylardan oluşan büyük bir tarih kitabıdır. Yani bizim milliyetçiliğimiz nedir? Türk ulusçuluğu mekteplerde öğretilen bir ulusçuluk mu, yoksa bizzat yaşanan olaylarla, felaketlerle, kıvançlarla mı elde edilen bir ulusçuluktur? Bunun cevabını vermek gerekiyor.

Çanakkale'de yurdu savunan ve etten kaleler haline gelen askerler, o gördüğümüz muazzam şehitliği dolduran muhterem insanların kanlarıyla örüldü. Şunu da söyleyeyim pek çok ülkede görülmez böyle bir şey. Fransızların Marne'da, Almanlara karşı verdikleri savaş sonucunda uğradıkları kayıpların yattığı böyle bir mezarlık vardır. Tabiî ki Rusların da vardır. İkinci Dünya Harbi'nde milyonlarca ölüsü vardır. Bizim de Çanakkale'miz vardır, her ülkede yoktur bu.

İLBER ORTAYLI

Ulus bilincimiz acaba sadece 1453 İstanbul'un fethi, 1471 Otlukbeli Savaşı, 1526 Mohaç, 1517 Mercidabık, Ridaniye seferleriyle mi oluşuyor? 1699'daki meşhur Karlofça Antlaşması, 1774-1783'te Karadeniz'in kuzeyinin kaybı ve ilk defadır ki anavatana muhacir kitlelerinin sızmaya başlaması ve nihayet bu anlamda verdiğimiz adla *93 felaketi* bir tarih midir? 93 felaketi, 1877 Savaşı'nın bir sonucudur ki, bunun gibi en son ve acı felaket 1912–1913 kışında bütün Rumeli'yi ve kesin olarak da Girit'i kaybettiğimiz Balkan Savaşı'dır. İnsan, "Bana ne, ben bunu hafızamdan sildim" diyemiyor. Tarihi olayların tortusu kalıyor.

Yaşadığımız olaylar, yaşadığımız tarih, bizim bugünkü vatanda yaşayışımızı, bugünkü iktisadi şartlarımızı meydana getirir ve istesek de, istemesek de bizim dış dünya ile bilhassa çevremizle ve komşularımızla ilişkilerimizin başlıca amilidir.

Hicri yılla 1293 (1877) Osmanlı-Rus Savaşı sonucu bütün Kuzey Bulgaristan, Tuna vilayetinin şimal halkı göç etmek zorunda kalmıştır. O devrin yazılı malzeme ve fotoğraflarına bakın; Balkan Savaşı'nda bir kalabalık çamura bata çıka geliyor. Orada 12-13 yaşında bir kız çocuğu, üstünde bir hırka bile yok, gömlekle 1912-13 kışında, yollarda... Bir yerlerden Bulgar ordusu geliyor, Yunan ordusu geliyor, insanlar kaçıyor. 1912-1913 kışındaki Balkan Savaşı'yla "imparatorluk yıkıldı" deniyor. İmparatorlukların yıkılması kaçınılmaz bir olaydır. Bu o kadar ağır tarihi yaralar bırakmaz, sadece tarihi anıda bir yeri olur. 1912-1913'te, Balkan Savaşı'nda, imparatorluğu değil Rumeli'deki Türk anavatanını kaybettik. Yani Anadolu ve Rumeli'den oluşan Türk anavatanının, Rumeli kısmı o yıl kaybedildi.

Rumeli çocukları bugün Türkiye'de köken itibariyle nüfusun en az üçte birini, oluşturuyorlar. Bu kadarla kalmıyor. Balkan devletlerinde Türklerden oluşan etnik gruplar, ciddi olalım, azınlıklar var. Demek ki sorun bitmemiştir ve üstelik bu savaşın ve yıkımın kalıntıları hâlâ yaşıyor.

Avrupalı bir bakanla görüşme. *De l'Espinasse.*

Balkanlar bölgesindeki Türk etnik grubu, bugün oradaki devletler için hâlâ bir problemdir ve bu grubun etrafla uyumunu sağlayamaması dolayısıyla Balkanlar'da ne milli mesele bitecektir, ne de gerçek anlamda bir barışın, en azından iç barışın, teessüsü mümkündür. Demek ki, tarih olayları, tarih bilinci o kadar gözden çıkarılması gereken bir şey değildir. Tarihi olayların sonucu, tortusu kalır ve bu sürer gider. Onun için tarih bilincimizde, tarihi bilgilerimizdeki noksanlıklar, bizi gelecek olaylardan uzak tutamaz, tam aksine yine o olayların içine gireriz; yine o olaylar bizi bulur. Biz onlara karışmasak bile, onlar bize karışır. Ne var ki son derece bilinçsiz, bilgisiz ve hazırlıksız yakalanırız.

Tarihte savaşların ve antlaşmaların önemi olmadığını söyler bazıları. Antlaşmaları ve savaşları reddedemezsiniz; bunlar ulusları oluşturur. Burada bu kimliği besleyen, oluşturan en önemli unsur, bizzat siyasi tarihtir. Yani harplerle ve barış antlaşmalarıyla sınırların tesbitidir.

Tarih bilinci söz konusu olduğu zaman, bu tarihi bütün savaşlarıyla, antlaşmalarıyla, barışlarıyla bilmemiz lazımdır. Bu da sıkıcı gelebilir, o zaman tatlı bir üslûb ile öğretmek söz konusudur. Osmanlı tarihçiliği, maalesef yaşanan ve yapılan tarihe uygun ve o derecede başarılı bir yazım değildir. Bu, görkemli bir tarihtir. Bizzat Avrupa tarihinin oluşumunda, vazgeçilmez bir parçadır. Onun içindir ki Avrupa milletlerinin % 80'i bugün Osmanlı tarihini ciddi bir şekilde tetkik etmektedirler.

Türk ulusu arasında bu tarih, gereği gibi yazılmamıştır. Büyük sentezler yoktur ortada. Büyük sentezlerin olmadığı bu ortamda, halka dönük *vulgarize edebiyat* dediğimiz basitleştirilmiş bir tarihyazımı da yoktur ve tabiî okul kitapları da istenenden çok uzaktadır. Bu kitaplar pedagojik bakımdan zayıftır. Çocuklarımız, gençlerimiz tarihi sevecek durumda değiller.

Büyük Osmanlı tarihçileri kimlerdir?

Hiç şüphesiz ki mazide önemli vakanüvislerimiz vardır. Daha sonra üstünde duracağız. Ama bizim çarpıcı biçimde bilimsel düşünceye sahip olan, saygın diyebileceğimiz ilk kişi Ahmet Cevdet Paşa'dır. 19. asır Türkiyesi'nin, Türk edebiyatının, Türk hukukçuluğunun dehasıdır. Eski harflerden oluşan on iki ciltlik *Tarih-i Cevdet*, itiraf etmeliyim ki, bugünkü Türk Latin harflerine doğru dürüst çevrilememiştir. Türk dilinde sadeleşmeyi teşvik eden ve bizatihi yazdığıyla bunu sağlayan, cümle kuruluşu, üslubu itibarıyla bugünkü Türkçeye, bugünkü Türklere bu kadar yakın olan bir yazarı biz bilmiyoruz.

Fuat Köprülü'yü bütün eserleriyle tanımıyoruz. Daha ilginci, araştırmalarını tamamen yeni harflerle kaleme almış rahmetli Profesör Ömer Lütfi Barkan'ı bile tam tanımayız. Hâlbuki bunlar şimdi ebediyete intikal eden ve modern Türk tarihçiliğinin, üslupları ve metodları itibariyle, öncüsü olan büyük adamlarımızdır.

Türkiye'de tarih okunmuyor. Türkiye için yazılan tarih sentezlerini, halka mal edilecek şekilde, yeni bir üslup ve yeni bir edebiyat ile kaleme alamıyoruz. Biz, çocuklarına ve gençlerine bir şey veremeyen nesilleriz. Kendimiz mazide bizden evvelkilerden ne aldık tartışılır; ama bizden sonrakilere bir şeyler veremiyoruz. Kültürü itibariyle kökü mazide olmayan, mazisini bilmeyen bir toplumun geleceği inşa etmesi, geleceği meydana getirecek kuşaklara gereken harcı, malzemeyi sağlaması mümkün değildir.

Türkiye'de ne olursa olsun, Osmanlı mirası sürdürülmektedir ve Osmanlı Devleti tarihi, aslında bilinen Türk tarihidir. Türklerin tarihi, kendi ifadeleriyle 8. yüzyılın ortalarında başlıyor; bunun dışında Türkler hakkında bilgileri başka milletlerden ve edebiyatlardan öğreniyoruz. Yazılı olarak biliyoruz ki, bu tarih aşağı yukarı on iki asrı ihtiva etmektedir. Son araştırmalar gösterdi ki, bizzat Orhun bölgesinde bile bu yazıtların tarihi iki asır kadar geriye gitmektedir. Burası stepin ortasında kurulmuş bir abide ve taşlar yığını değildir.

Türk tarihi içinde Türkçe yazılı Osmanlı tarihi ve Osmanlı devlet yapısı bir zirveyi tesbit eder. Adeta o geçmiş asırlardaki Göktürkler, Selçuklular, birtakım "tavaif-i mülûk" dediğimiz Anadolu'daki devletlerimiz Osmanlı devletini, Osmanlı medeniyetini inşa etmek için adeta-teleolojik-gaî bir gayret göstermiş gibidirler.

Her gözün bakışı ayrıdır. Bilimin nesnel, herkes için kabul edilir yöntemleri vardır; ama bir yerde de durduğunuz noktaya göre farklı yerlere bakarsınız. İnsan düşüncesindeki zenginlikler de işte bundan ileri gelir. Dolayısıyla bugün için Türk tarihçiliği, bunu yapmadığı için hem kendine karşı hem dünyaya karşı olan görevini yerine getirmiyor.

Bizde "resmî tarih" dediğiniz de, "alternatif tarih" dediğiniz de birbirinden farksız. Hiçbiri somut bilgiye, malzemeye dayanmıyor. Ben Hyde Park'ın köşesinde birçok insanı bir kova veya bira kasası üzerine çıkıp konuşurken gördüm. O konuşanların hiçbiri İngiliz toplumunda seçkin bir yere sahip değildir. Ama birçoğunda temellendiril-miş, somut bilgiye dayanan tarih konuşmalarına şahit olmuşumdur. Hatta bizdeki bir sürü aydın dahi o düzeyde değildir. Bu çok kritik bir nokta! Değişen bir Türkiye'de mazide neler kaldı, neler kalmadı? Neler yön veriyor bize? Tarih demek *nostalji* demek değildir.

Tarih isteseniz de, istemeseniz de orada, sizin küplerinizde duruyor. Tarihi, cehaletten dolayı "reddettim" deyince, reddedildi zannedilir. Bazıları, "Osmanlı'yı reddederim" diyor. Adam zannediyor ki, pasta keser gibi tarih yapabilir. Mümkün değil! Böyle bir şey olabilir mi? Bir kere Cumhuriyet'i kuranlar; Osmanlı paşaları, Osmanlı Erkân-ı Harbiyesi'dir. Demek ki, *redd-i miras* sosyal düşünceye, sosyal realiteye uymayan bir şeydir.

Tarihi tanımama bugünün çok önemli bir sorunudur. Dolayısıyla bilgisizlikten ileri gelen bir itme var, bilgisizliği meşrulaştırma çabası var. Tarih, aslında değişmeyi gösteren; fakat değişmeye çok da fazla müdahale edilemeyeceğini ifade eden bir ilimdir.

Her yerde tarihe farklı açılardan bakılır, Türkiye bunun istisnası değil. Burada mühim olan; tarihe bakışta asgari müşterektir. O da tarihin bilim olan tarafıdır. Yani adamın biri farklı biçimde bakarken ilmî malzeme kullanmalıdır ve bunu ahlaklı bir şekilde kullanmalıdır. Bir kere bu işin ilmine ve ilmî malzemesine sahip olduktan sonra tarih, hangi açıdan bakılırsa bakılsın, cahilce bu sahaya girenlere güler. Adam "İstanbul kuşatmasını büyütmeyelim" diye bir eser yazabilir. Herkes Fatih Sultan Mehmed'i göklere çıkarmak zorunda değildir. Herkes İstanbul'un fethine kasideler yazmak zorunda da değildir. Fakat sen bunu yok sayarken, birtakım kaynakları da bilmek zorundasın. Hiç Türk dostu olmayan, Fatih dostu olmayan yabancı adamların yapamadığını, bizim yerli adamlar o kadar kolay yapıyor ki, hayret ediyorsunuz. Nasıl yapıyor? Bakıyorsun kullandığı malzemeye, birtakım ikinci el Türkçe kaynaklar... Hiçbir şekilde ne bir kitabe okumuş, ne bir vakayiname okumuş, ne de fethe ilişkin çağdaş notları okumuş. Hiçbir şey yok. Böyle olmaz. Yahut aksini alalım, bunun tersi noktada yer alan bir arkadaş da Osmanlı tarihinin müesseselerini göklere çıkarıyor; yazdıklarının her sayfasında birkaç yanlış var, maddi yanlış. Bu da kabul edilebilir tutum değil...

Bir arkadaşımız sordu: "Tarih tekerrürden ibaret midir?" diye.

Bir grup düşünür ve bilim adamımız için tarih hiç de tekerrürden ibaret değildir. Çok kesin fikir öne sürüyorlar; hâlbuki bu cevab o kadar kolay değil. Tarih belki tekerrürden ibaret değil; çünkü "Aynı nehrin suyunda iki kere yıkanmıyoruz" demiş İyonyalı filozof Herakleitos. Demiş ama, netice itibariyle ırmaktan da hep sular akıyor ve belirli bir mecrada akıyor. Bazen büyük ölçüde değişme çok zaman alıyor, onun için cemiyet hareketlerinde bir monotonluk ve bir tekrar var. Dolayısıyla o tekerrürden de kaçıyoruz. Tarihin tekerrürden ibaret olamayacağını tekrarlayan ilerici insanların, neden faşizmin tekerrür etmesinden korktuklarını anlamak da güçtür (ki tekerrür etme ihtimali de yüksektir ve korkmak da lazımdır).

Bazılarında Osmanlı'ya karşı, "Türklükle çok benzeşiyor" diye bir etnik nefret doğmuş olabilir. Bunları anlamak çok güç. Çünkü böyle bir metodla, böyle bir düşünceyle bir yere varamıyorsunuz. Bu, düşünce yöntemlerimize fevkalade aykırıdır. Bu bakımdan normal bir ülkede tartışılmayacak şey bizde tartışılıyor. Hiçbir şekilde Fransa'nın bir solcusu, monarşi karşıtı, "Biz bu mirası reddediyoruz" demez. Derse, Fransa olmaz. Bu adeta fizik kanununa aykırıdır. Bazı yazarlar Fransa kralını sevmeyebilir, Fransız aristokratının getirdiği medeniyete karşı olabilir; ama onu inkâr edemez. Bu kadar açıktır. Sovyet Rusya'da da böyledir. Rusya'da konuştuğumuz kişi, hükümdarları anlattı, aristokrasinin meydana getirdiği kültürü ortaya koydu, Büyük Petro'yu, hatta Katerina'yı metheti. Sonunda da onları kötüledi: "Onlar zaafları ve kusurları olan hükümdarlardı" dedi. Yani, "Böyle bir mirası tanımıyorum" demiyor adam. Dolayısıyla bu tip bir anlayış mümkün değildir.

Tarih çim sahası değil ki, istediğin yerleri tesbit edip, kazık çakıp çitle çeviresin. "Ben bu kadarını seviyorum, gerisini yakalım" veyahut "Bana ne?" diyemezsiniz. Bu mümkün değil. Onun için bu örnekler gözümüzün önünde bulunsun, onlara göre düşünelim.

***

Tarihçinin kaynakları iyi kullanması, kendi tezini mesnetsiz laflarla, vesikasız iddialarla veyahut yanlış, saptırılmış vesika kullanımlarıyla desteklememesi lazım. Bir de o tehlike vardır; aynı malzemeyi farklı şekilde kullanırsın, saptırırsın. Mesela tarihçi kendine göre örnekleri alır, keser biçer değil mi? Onun için tarih yaptığınız an, her şeyden evvel tarih bileceksiniz. Bu da maalesef okulda öğrenilmiyor galiba. Biraz doğuştan kabiliyet lazımdır. Okul ancak yol gösterebiliyor. Doğuştan ne kadar resim yapabiliyorsunuz, ne kadar müzisyen bir adamsınız? Bu şaşılacak bir şekilde tarihyazımında da etkili bir unsurdur.

Bu dediğim araçlar; Avrupa tarihinde tiyatrodur, tarihî romandır. Mesela birtakım şairler tarihçidir; *Schiller* gibi, *Goethe* gibi, *Puşkin* gibi, *Corneille* gibi. Dolayısıyla tarih kitlelere böyle birtakım âlimlerin sentezlerinden, monografilerinden geçer. Sonra tarihî film çeviren büyük rejisörler vardır. İşte *Passolini* bunlardan biridir. Macar *Szabo* da böyle biridir. Mesela *Sergey Ayzenştayn* vardır, kendine göre Sovyet devrinde çarpıtılmış, milliyetçilik Marksizm arası bir tarih görüşünü perdeye yansıtır; ama iyi rejisördür. Sonra bu devirde makbul yazar *Aleksei Tolstoy* (büyük Tolstoy'un yeğenlerinden) böyle biridir. Bizlerin bu gibi araçları yoktur. Bu dallar bizde çok zayıftır. Bir kere doğru dürüst bir tarihi ressamımız yoktur. Bir *Repin* yoktur, bir *Vasiliy Surikov* yoktur. Adam tablosuna baktığınızda Rusya tarihinin bir safhasını hazmedeceğiniz, bütün çelişki ve bütün tutarlılığı-tutarsızlığıyla görebileceğiniz bir ressamdır. Dolayısıyla bizim milletimiz tarih bilmez.

Şunu ifade etmek istiyorum: Türk kimliği, şuuru, tarih kitabı okuyarak, tarihî piyes seyrederek, şiirle, müzikle oluşmuş bir şey değildir. Doğrudan doğruya, kan, ateş, kavga ile yani hayatın kendisi içinde oluşmuştur. Bu nedenle Türk kimliğine sahip olan adam, *xenophobia* sahibi yani yabancı düşmanı olmuştur. İster kabul edin, ister etmeyin; bu böyledir.

SON İMPARATORLUK OSMANLI

Osmanlı Devleti tarihin gerçek anlamdaki son üniversal, yani beynel-milel, cihanşümul imparatorluğudur.

Son zamanlarda bizde bir tartışma çıktı: "İmparatorluk 'emper-yalizm' demektir. Emperyalizm kötü bir kavramdır. Binaenaleyh bizimki imparatorluk değil, devlettir." Ne filolojik bakımdan, ne hukuki ve sosyolojik bakımdan nasıl bir yoruma istinad ediliyor belli değil. Bazı kötü mana kazanan kelimelerle geçmişteki kelimeleri ve terminolojiyi yargılamak, değerlendirmek çok yanlıştır.

Burada bizim imparatorluktan kastettiğimiz şey, tarihteki büyük Roma'dır ve onun vârisi ve devamı olan İkinci Roma'dır. "Bizans" yanlış bir kelimedir; çünkü bu şehrin kurulduğu noktanın klasikteki ismidir Byzantion ve o imparatorluğa "Bizans, Bizans medeniyeti, Bizanslı" demek 16. yüzyıldaki Alman hümanistlerinin, *Hieronymus Wolff*'un işidir. Niçin "Bizans" demiştir, tartışılır.

En başta; Alman imparatorluğunun, yani mukaddes Roma-Germen İmparatorluğu denen imparatorluğun -ki Ortaçağ'da kurulmuştur- rakibini bir şekilde tarih sahnesinden silmek amacını taşımaktadır. Yani İstanbul, Türkler tarafından fethedildikten sonra ortaya atılan bir terimdir bu. Bizanslıların kendileri hiçbir zaman bu terimi kullanmazlar. Kendileri için Romalı, ülkeleri için Roma gibi tabirler kullanırlar, ki biz Türkler daha Selçuklu devrinden beri bunu Rum olarak düşünmüşüzdür. *Rumluk* bir etnisite değildir, bazılarının zannettiği gibi bir etnik birimin adı değildir. Bir imparatorluğun, Roma İmparatorluğu'nun tebaasının adıdır. Dinlerin ve dillerin üstünde bir tutum takınmaktır. Nihayet Üçüncü Büyük Roma, Müslüman bir Roma'dır ve Türklerin kurduğu bir Roma İmparatorluğu'dur. Bu, böyle tarihî bir yakıştırma da değildir aslında. Çünkü Rum tabirini, Roma tabirini bizim ecdadımız kullanmıştır ve kendilerinin, bu anlamda bir vâris ve tek olduğu üzerinde de hemfikirdirler.

Tarih dünyasında, Hıristiyan dünyasında Moskova'nın Bizans'tan sonra üçüncü ve son Roma olduğu gibi bir hüsnükuruntu, bir yakıştırma vardır. Bunun gerçekle hiçbir alakası yoktur. Vakıa Rusya, bilhassa 16. asırdan sonra, gittikçe büyüyen bir imparatorluk olacaktır; ama bu imparatorluk asri ve çokuluslu bir devlettir. Bunun baz-entriği Rustur, Rusçadır, Rus kültürüdür. Tıpkı Britanya'nın İngiliz olması, dilinin İngilizce olması gibi. Fransız sömürge imparatorluğunun Fransız hem de koyu Fransız milliyetçisi olması gibi. Bunlar, bu anlamda imparatorluk değildir. Bunlar modern, denizaşırı sömürge devletleridir. Rusya bu anlamda sömürge de değildir, sömürgeci de; bir kıta imparatorluğudur. Hükmettiği ülkelere aslında "sömürge" diye değil, "vilayet" olarak bakmıştır. Buralarda değişik insanlar, değişik milletler olur; onlara ikinci sınıf muamelesi yapılmıştır. Bu da bir gerçektir; ama burada bir Roma İmparatorluğu esprisi yoktur.

Osman Paşa'nın İstanbul'a dönüşünde karşılanışı. *P. Kauffman.*

Roma İmparatorluğu'nu ve Roma'yı hiç tanımayan bizim tarih literatürümüz, sosyal düşüncemiz maalesef bu tabiri Osmanlı'ya yakıştırmama, bundan rahatsız olma gibi bir endişe içine de düşmektedir. Şu kadarını söyleyeyim ki; Roma, Batılıların zannettiği tarzda bir Roma değildir. İkinci Roma İmparatorluğu Hıristiyandır; yani Bizans denen *doğudur*. Ama birincisi politeist veya pagan, çoktanrılı bir bütünlüktür ve bütün dinlerin (o zamanki dinlerin) bir konglomerası, bir bileşkesi, bir camiası gibidir. Üçüncü Roma da Müslümandır. Bu çok açık bir şeydir. Bu imparatorluğa baktığınız zaman müesseseleri itibariyle, coğrafyası itibariyle inanılmaz benzerlikler görürsünüz. Bu doğrudan doğruya birinin öbürüne bakıp onu tevarüs etmesi de değildir. Yani bugünkü bizim Türkiye idaresinin falanca yerden belediye kanunu, filanca yerden itfaiye kanunu alması gibi bir geçişme, bir adaptasyon söz konusu değildir. Doğrudan doğruya o toprakların üzerinde yaşayan bir sürü milleti hükmü altında tutan bir kuvvet, bazı şeyleri otomatik olarak bir imparatorluk havası içinde yürütmek zorundadır.

Vilayetlerin sınırları birbirine benzer. Elbette öyle olacaktır; çünkü bir idari birimin sınırları, eski devirde çok önemli bir rol oynar. Aslında bugün bile rol oynar. Birtakım şehirler aynıdır. İsim değiştirmişlerdir. İsim değiştirmeler, bugünkü gibi bilinçli değiştirmeler değildir. Çünkü bu asrın kaba milliyetçiliği o zaman yoktu. Deyiş farkı rol oynamıştır. Bunun teknikleri vardır. Bütün *polisler* (kentler) *boli* ve *bolu* haline dönüşmüştür. Mesela *Baleo kastron* Balıkesir'e dönüşmüştür. Çok az sayıda şehir vardır ve bunlar tabiî Türk ismi taşırlar. Niye yeni şehir kurulmamış? Niye kurulsun ki? Şehir kurmak bir maceradır ve çok zor bir meseledir. Coğrafyasını iyi tanımak lazımdır mutlaka; yeni kurulan şehirler büyük problemler yaratırlar. Mesela Madrid yeni kurulmuş bir şehir değildir, eski bir Endülüs şehrinin üstüne yeniden genişletilmiştir. Çok problemli bir şehirdir. Odessa tamamen yeni kurulmuştur. Karadeniz de 18. yüzyılda çok problemli bir bölgedir. Gelişmesi ve yaşaması büyük problemler arz etmiştir. Bugün bile problemler devam ediyor; dolayısıyla böyle bir şehir kurma macerasına hiçbir toplum girişecek değildir, eski bulduğu şehirlerin üzerine oturur. Ancak bazı ahvalde bir ordugâh şehri, belki ticaret yolunun değişmesi veya bir *yön* sapması meydana gelirse orada bir teşekkül söz konusudur.

Bu anlamda bizim imparatorluğumuzda Balkanlar bölgesinde daha çok şehir kurulmuş veya çok küçük yerleşme merkezleri 15. ve 16. asırda büyüme sürecine girmiştir. Bu gibi şehirleri aşağı yukarı biliyoruz. Mesela Bulgaristan'da *Tatar Pazarcığı* da denilen bir yer, mesela bir ara *Targovişte* denilen eski Cuma, *Cisrî Mustafa Paşa* denen yer, şimdi *Haskova* denen Hasköy bunun gibi yerlerdir. Drina veya Vişegrad küçük bir şehirken, çok önemsiz bir yerleşim yeriyken Osmanlı devrinde ilk kurulan büyük köprü, han, hamam ve kervansaraylarla müthiş bir merkez haline dönüşmektedir. İvo Andriç'in yazdığı *Drina Köprüsü* adlı romanda bunlar görülmektedir. Müthiş bir romandır o ve bir realitedir aslında.

Şüphesiz ki imparatorlukların orduları birbirlerine benzer, çünkü hükmetmenin teknikleri ve askerî teknikler çok benzerdir; ama şunu da söylemek lazım ki, üç Roma'nın ordusu birbirinden çok farklıdır. Çünkü menşeleri farklıdır. Askerlik yapmaları çok farklıdır ve bunların, hatta bu orduların zaaf ve kuvvetleri bile birbirinden farklıdır. Mesela geçmişte Osmanlı ordusu, Türk ordusu ricat etmeyi bilmez. Hâlbuki Roma ordusu çok iyi ricat eder. Erkekliğin onda dokuzu kaçmaktır. Roma orduları zarara uğramadan ve dağılmaksızın ricat etmeyi bilmiştir. Bizde Türk orduları ancak yakın zamanda ricat etme tekniklerini kavramıştır, hatta bu yakın zamanın Anadolu'daki 1920-1922 İstiklal Mücadelesi olduğunu ve ricatın İstiklal Harbi'nin komutanları tarafından tatbik edildiğini söylemekte bir beis yok. Bu ordu daha evvel ricat etmeyi bilmezdi. Buna karşılık hücum ve kuşatma tekniklerinde ve inadında çok üstündü. Roma ordularının aksine ordugâh kurmadan kendini savunmasını biliyordu. Bu ordunun yerleşmesi, çadır medeniyeti, istihkâm, siper kazma biçimleri, provizyon dediğimiz beslenme sistemi çok önemli idi. Bunları anlamak gerekir.

Hiç şüphesiz ki imparatorluklar, çeşitli dinlerin ve milletlerin yaşadığı birimlerdir. Dolayısıyla bunların zarara uğramadan, zulüm görmeden yaşaması, üretime katkılarını devam ettirmesi gerekir ve unutmayınız ki bu geleneksel ekonomilerde, yani son bir buçuk asra has *Sanayi Devrimi* öncesi ekonomilerde, birtakım dallar etnik kompartımanlara aittir. Yani çok ilginç neticeler ortaya çıkar: Kuyumculuk şu millete hastır. Gemicilik malzemesi bu millete hastır. Loncalarda ve zanaatlarda herkes kendi akrabasını ve hemşerisini çırak ve kalfa olarak seçeceği için bu sistem böyle devam eder. Dolayısıyla 15. asırda İspanya'nın yaptığı, hiç tereddüt etmeden söyleyelim, ahmaklığın buralarda tekrarlanmayacağı çok açıktır. Ne yaptı İspanya? Endülüs'ten Yahudileri ve Arap Müslümanları attı. Onları attıktan sonra ziraatta, tıpta, sarraflıkta ve birtakım teknik dallarda da büyük bir çöküntü meydana geldi. Tam o sırada ABD'den gelen altın başıboş kaldı, mal yok altın bol, neticede enflasyon ortaya çıktı ve harp oldu, İspanya bir nevi gerileme sürecine girdi. Burada böyle bir şey mümkün değildir. Azınlıklarla beraber yaşamadan yapılamaz da, çünkü imparatorluk çeşitli unsurların korelasyon, uyum halinde yaşadığı bir camiadır. Burada böyle tasniflerin de pek bir manası yoktur.

Bizde tarih literatürü bilmeyen kimseler çok tekrarlar; işte bu imparatorlukta öbürleri zanaatla, ticaretle falan uğraşmış, Türklere köylülük kalmış. Diğer bir kısmı da "Üçte biri asker, üçte biri memur, üçte biri şair bir milletiz" gibi lafları kahve kuru gürültüsü halinde tekrarlar ki bir anlamı yoktur. Çünkü toprağı işlemek herkese has bir şeydir. Müslümanı da, Hıristiyanı da köylü kısmındandır. Şöyle bazı farklılıklar olabilir: Mesela Müslüman Türklerde belirli bir ziraat biçimi gelmiştir. Arnavut köylüsü mesela belirli ziraatle uğraşmaktadır. Mesela bir kısım insanlar atçılıkla uğraşırlardı Türklerde. Göçebe olanı keçi beslerdi. Nasıl ki zanaatlarda da böyle bir ihtisaslaşma vardır ve bu ihtisaslaşma da bazılarımızın zannettiği gibi değildir. Merhum Ömer Lütfi Barkan Hoca'nın *Süleymaniye inşaatı defterleri* üzerinden yaptığı yayından da anlaşılıyor; mesela taşçılık Süryani ve Ermenilere has. Doğu Anadolu'dan geliyor. Ayrıca bazıları hiç tahmin etmez ama camcılık, vitray, züccaciye işleri Türklere hastır. Bu ince işi Türkler biliyor. Bazı zanaatlar Rumların, bazıları iki üç etnik gruba ait. İşte bu *imparatorluk* demektir.

Burada herkes belirli bir kompartımandadır. Belirli bir sahayı ele almıştır ve ancak onların elit sistemi bir emperyal yönetici sınıfı meydana getirir. Bu *optimat* yani eski Roma cemiyetinin "optimates" dediği takım bizde askerî sınıf diye anılır. İlla asker olmaları şart değil; bunlar vergiden muaf devlet hizmetindeki memurlardır. Kim buna dahildir? Hakikaten asker olan paşamız, askerlikle ilgisi olmayan medresedeki ulemamız öyle olduğu gibi; Yahudi'nin hahambaşısı, Bulgar'ın çorbacısı, Fener patrikhanesinin sivil görevlileri ve ruhanileri, Ermeni patrikhanesi metropolleri –bunlara *vartabet* denir– bu gibi din adamları, *amira* dediğimiz sivil mülkî erkân, askerî sınıfı oluşturur. Demek ki her kompartımanın ve her toplumun üst elit tabakası, bir emperyal bürokrasiyi oluşturmaktadır.

Üniversal, kozmopolit bir imparatorluk diye burada yüz bir çeşit dil her yerde geçerli değildir. Devlet hayatında belirli diller konuşulur ve özellikle orduda kesinlikle bir dil ve bir unsur hâkimdir. Nasıl eski Roma'da Latince ve eski Roma şehrinin sert askerlik kuralları hâkimse, Bizans'ta Helen dili hâkimdir ve Osmanlı'da bu kesinlikle Türkçedir ve etnik olarak da Türklüğe, kültürel bakımdan Türkleşmeye dikkat edilir. Eyalet askerleri yani yeniçeriler, sipahiler ve cebeciler çeşitli milletlerden devşiriliyor. Ama onlara Türkçe öğretiliyor, onlar İslamlaştırılıyor ve onların geçmişle bağları kopuyor. Ordu bu nedenledir ki etnik özelliğini Türk tarihinde en uzun zaman boyu koruyan müessesedir. Bugünlere kadar bu özelliği devam etmiştir ve bunun da bir ölçekte bilincindedirler. İşte bu imparatorluk yapısı içinde bir temel unsurun bulunması gerekir. Bu temel faktör, imparatorluğu sürükleyen ana unsur, her imparatorlukta belirli bir gruptur. Bizim imparatorluğumuz içindeyse bunun büyük ölçekte Türk kökenli unsur olduğunu söylemek mümkündür. Ama bu hiçbir şekilde başka unsurlardan da devamlı olarak taze kuvvet alınmasını engellememiştir. Bu anlamda bir kabileci milliyetçilik, bizim imparatorluk hayatımıza uzaktır. Tıpkı eski büyük imparatorluklarda olduğu gibi. Ama milliyetçilik 19. asrın Avrupa devletlerinde çok temel bir yaklaşım biçimidir. Buralarda devamlı bir sınırlama görülmüştür.

Unutmayın ki milliyetçiliğin ayaklandığı ve hayatımızı etkilemeye başladığı 19. asırda bile imparatorluğumuzun Rum büyükelçileri,

Kuleli Askeri Lisesi. *S. Fisher.*

valileri vardır. Ermeni yüksek sınıftan memurları, nazır ve müsteşarları vardır. Yahudiler, büyükelçilik ve nazırlıklarda görülmez; ama bürokraside ve taşra bürokrasisinde şaşılacak kadar göze çarpmaktadırlar. Çok yanlış bir biçimde, orduya gayrimüslim alınmaz diye bilinir. Yanlıştır. Birtakım meslek sınıflarında bulundukları gibi, muharip sınıflarda da vardır, hatta nefer vardır. O kadar ki Türk donanması, Osmanlı donanması geçen asırda Paskalya ve Noel gibi Hıristiyan bayramlarında demir atardı. Çünkü neferlerin, çavuşların yortu dolayısıyla evlerine gitmeleri gerekiyordu.

Dolayısıyla bu imparatorluğun yani Osmanlı İmparatorluğu'nun bir yapısının üzerinde durmak gerekir. Bütün klasik imparatorluklar gibi temel bir unsur vardır. Bu bilhassa kullanılan dilde, resmî dilde görünür. Ama hayatın içinde öbür milletler, kompartımanlar iç içedir. Bu dikeyine bir sınıflamadır ve bu dikeyine sınıflamada her kompartıman belirli üyelerini yönetici elite, en iyilerini askerî sınıf dediğimiz ve eski Roma'daki *optimates* sınıfı gibi bir zümreye verir. İşte bunun adına bir yerde biz *son imparatorluk* diyoruz. Niye diyoruz? Çünkü Roma eski dünyanın şartları içinde yaşadı. Bizans öyle idi. Osmanlı ise artık milletleşme safhasında, orta zamanın tekniklerinin çözülmeye başladığı bir safhada, hatta sanayi medeniyetinin, sanayi dünyasının doğuracağı bir dünyada *Üçüncü Roma* olarak yaşamak zorunda kalmıştı. Bence bizim tarihimizin bütün dinamik, bütün trajik, bütün olumlu ve olumsuz tarafları bundan ileri gelmektedir. Bunu hassaten belirtmek zorundayız.

Çünkü biz tarihi olan, tarihinde bürokrasi ve devlet geleneği olan, hatta müstakil kiliseleri olan birtakım unsurların üzerinde hükümfermâ olmak durumunda kaldık. Bunun üzerinde önemle durmak gerekir. Çünkü Osmanlı İmparatorluğu tarıma, hayvancılığa, göçebeliğe, yelkencilik dediğimiz denizciliğe dayandığı bir toplum sisteminde değil; fakat bütün bu tekniklerin değişmeye başladığı, insanların okyanuslara açılmaya başladığı bir dünyada hâlâ eski imparatorlukların yapısını, satvet ve kudretini korumak durumundaydı. Bunun için hükmettiği milletler diğer iki Roma İmparatorluğu'nun aksine devlet geleneği olan, hatta kilise geleneği olan toplumlardı. Bunlarla nasıl yürüdük, nasıl gittik, nasıl 19. asrı aştık? Tarihimizdeki bütün olumluluklar, bütün olumsuzluklar, bütün zaferler, bütün düşmeler ve bütün trajedilerin yanında büyük, gösterişli, mutantan manzaralar bu gerçeğe dayanmaktadır ve imparatorluğun altı asrını bu şekilde incelemek durumundayız.

II. ABDÜLHAMİD

II. Abdülhamid Han, eğer ulu ceddi I. Abdülhamid'in döneminde yaşasaydı, Osmanlı İmparatorluğu'nun Şark dünyasında kaderi değişmiş olurdu. Bu, onun kişiliğiyle ilgilidir. Çünkü tarihte eğer kişilerin, içtimai şartlar ve dünya şartlarının bir ölçüde dışında rolü var ise, II. Abdülhamid Han bu bakımdan en kayda değer şahsiyettir.

Esasen Osmanlı İmparatorluğu'nu bazı insanlar çok küçümserler, ama imparatorluk sağdan soldan birtakım insanların ve büyük portrelerin oluşturduğu bir tarihtir. Devletin kuruluşundan 16. asrın sonuna kadar bütün hükümdarların hepsi büyük mareşallerdir, askerî dehalardır. İtiraf etmek gerekir ki, İslam dünyası ilmî üstünlüğünü 15. asırda tamamlamıştı; yani 15. asırdan sonra İslam dünyası tıpta, astronomide, matematikte, kimyada öncü rolünü terk etmişti. Daha da açık konuşmak gerekirse, aslında milletimizin, yani Türklerin devleti olmasa, İslam dünyası askerî ve idari vasıflarını da kaybedecek ve çoktan gerilemeye başlayacaktı. Hıristiyan dünyasının dirildiği, toparlandığı, teşkilatlandığı, ilerlemeler kaydetmeye başladığı bir devirde askerî-siyasî üstünlüğü onlara kaptırmayan, onları geciktiren, onları birkaç asır için durduran, doğrudan doğruya Türklerin kurduğu Osmanlı İmparatorluğu'dur.

Çok açıktır ki, bu imparatorluğun kuruluş ve gelişmesinde büyük hükümdarların çok payı vardır. Bunlardan birisi, "hükümdarların en sonuncusu ve zamansız, geç geldiği için katkısı anlaşılamayan" II. Abdülhamid Han'dır. Gerilemenin, yavaşlamanın asrında ortaya çıkmıştır. Yapabileceği fazla bir şey yoktur. Cihanşümul bir imparatorluğun sonuna gelinmiştir. Bu bakımdan II. Abdülhamid "dünya imparatorlukları"nın, yani muhtelif dinlerden olan ve muhtelif diller konuşan birtakım milletlerin bir arada yaşadığı cihanşümul denilen imparatorlukların üçüncüsü ve aslında sonuncusunun son hükümdarıdır. Çünkü kendisinden sonraki hükümdarların ikisinin şahsiyet olarak kayda değer bir yanı yoktur.

Sultan Reşad iyi niyetli, dindar, kendine göre de malumatı, bilgisi olan ve Farsça bilip konuşan bir sevimli ihtiyarcıktır; son hükümdar VI. Mehmed Vahideddin, oldukça zayıf eğitim görmüştür, ileri yaşta tahta geçmiştir. Bir yenilginin, çöküntü zamanının ortasında tahta çıkan, Mütareke devri padişahıdır. Ondan da bu ortamda bir şey beklenemez. Dolayısıyla bu dünyanın en son hükümdarı, tarihî, hukukî ve müessese olarak son üniversal imparator (son Roma imparatoru) II. Abdülhamid Han'dır. Bu anlamda Müslümanlardaki *Hilafet* müessesesini de yetki ile temsil eden son kişi kendisidir.

19. asırda ve 20. asrın başında Hilafet müessesesini oldukça iyi kullanan (ki çok hazin bir tablodur, yeryüzü Müslümanlarının yüzde 80'e yakını yabancı bayrak altında yaşamaktadır) II. Abdülhamid'dir. İçine doğduğu dünya, iç açıcı değildir. İngiltere İmparatorluğu çok sayıda Müslümana sahiptir. Bizimkini kat be kat geçer. Ardından Fransız Cumhuriyeti gelir. O da bir sömürge imparatorluğudur.

Mekteplerde böyle öğretiliyor, ama bunlar imparatorluk değildir. Bunlar milli devlettir ve denizaşırı sömürgeleri vardır; yani asla Roma gibi, Sasaniler gibi, İslam Abbasi İmparatorluğu gibi bir imparatorluk değillerdir. Bunlar, tebaalarına "bir toplumun üyeleri ve yeteneklerine göre icabında yüksek mevki verilecek adamlar" diye bakmazlar. Bunların anavatan halkı vardır. Bir de sömürge ötesi ülkeler vardır. Bu bakımdan imparatorluk değillerdir; ama böyle deniyor; yani, Sirkeci'deki bitli otellere "palace" denmesi gibi bir şeydir bu.

İmparatorluk 19. asırda bir tane vardır. O da Osmanlı İmparatorluğu'dur. *Memalik-i Mahrusa-yı Osmaniyye* ismi ve unvanı da bu mevhumu muhafaza eder; çünkü imparatorluklar, yedlerindeki memleketleri himaye ve hıfz etmekle, korumakla mükellef kuruluşlardır ve bunun adı böyledir. Bu anlamda eski Roma İmparatorluğu ve Bizans ne ise (tabiî ikinci Roma'dır, o Hıristiyan Roma'dır); Sasani devleti ne ise, bizimki de öyledir.

Yalnız burada çok büyük bir güçlük vardır. Biz modern zamanlarda tüfeğin, topun, modern idarenin, denizaşırı ticaretin ve gelişmiş gemiciliğin hâkim olduğu bir dünyada bu sistemi yürütmeye çabalayan bir milletiz; yani 15.-16. asırlarda imparatorluk kurmak, milattan önce 3. asırda veya milattan sonra 5.-10. asırlarda imparatorluk kurup yönetmeye benzemez. Çok güç iştir. Himayeniz altındaki milletlerin her birinin kendi mazisi vardır, kendi kişiliği vardır, kendi kalıntısı vardır ve etrafınızda değişen, kuvvetlenen başka bir dünya vardır. Siz bunlara rağmen, bunlarla birlikte dünyada bir büyük klasik imparatorluğu kurup götürmeye devam ediyorsunuz. Bu cehdin son sahibi II. Abdülhamid Han devridir.

Şimdi burada tarih ve şuur olarak değişmemiz lazımdır. Bizim battığımız, çürüdüğümüz, çöktüğümüz yoktur. Senelerce bu memlekette hem sağdaki, hem soldaki insanlara tarihte bu öğretiliyor. *Batmak...* Bunun kadar manasız, bunun kadar gerçekle teması olmayan, indî, üstelik de tahripkâr bir yorum yoktur. İnsanların bir kısmı bunu safdilliğinden, üzüntüsünden söyler. Bir kısmı da cehaletinden ve siyasi amacından söyler. Hiçbir şekilde battığımız falan yoktur. Biz diriyiz. Daima değişiyoruz, daima değişen dünya şartlarına kendimizi uydurmaya çalışıyoruz ve daima öncü olmak için kavga ediyoruz ve önümüzde model de yoktur. İslam âleminde Türkler için model yoktur; çünkü biz modern bir dünyada muasır medeniyeti hem benimsemek, hem de onunla kavga ederek tarihimizi ve kimliğimizi korumak zorunda olan bir milletiz. Bunu yaparken çok büyük kahramanlıklar, çok asil manzaralar çizdiğimiz gibi çok büyük sersemlikler, şaşkınlıklar da sergiliyoruz. Hepsi kendi çizdiğimiz tarihî senaryoya, hepsi yazdığımız maceranın muhtevasına dahildir. Bunu böyle bilesiniz.

Onun için burada ye'se kapılarak, gayr-i ilmî bir portre çizilemez. "Biz batıyoruz" ne demek? 75 milyonluk bir kitle batar mı? Bu mümkün değil. Nereye batıracaksın bunu? Bunu emecek deniz bulunmaz. Bu tarihe biraz baktığınız zaman görürsünüz ki, bu insanlar her zaman devlet şuuruna sahip olmuştur, her zaman mücadele etmek zorunda kalmıştır ve de etmiştir. 19. asırda bunu görürsünüz. Biz aslında Plevne'de yenildik; ama yenilmedik. Plevne'de Rusya'nın çürümüş taraflarını açığa çıkardık ve kendimizin dirilen taraflarını gördük. Plevne savaşını yakından takip eden insanlar bunu söylüyorlar; yani ta Tuna Nehri'nden bir anda Yeşilköy'e kadar çekilen ordumuz yer yer büyük kahramanlıklar gösterdi, çarpışan insanlar vatan ve millet şuuruna sahip olduklarını belli ettiler. Yer yer teknik üstünlükler de gösterdiler. Komutanlarımız asri fenle, askerlik bilgisine sahip olduklarını gösterdiler ve çarpışan ordunun barutu bu memlekette üretiliyordu ve orduyu besleyen buğday, artık eskisi gibi Odessa'dan gelmiyordu. Askerimiz Anadolu buğdayıyla çarpışıyordu. Bu bir müddet sonra daha da açıkça görüldü. 1897 Yunan muharebesinde ordularımızın asra uygun teknik üstünlüğü açığa çıktı ve yine İstanbul ve ordu, Anadolu buğdayıyla, Anadolu zahiresiyle besleniyordu. Temel silahlarımız ve barutumuz ordunun teknik üretiminden çıkmıştı. Bunların üzerinde ısrarla durmak gerekir.

19. yüzyılın son çeyreğinde bu memleketin mektepleri ıslah ediliyordu. İnsanları daha fazla okuyordu ve bu memleketin insanları sadece bir imparatorluğun değil, İslam âleminin, Şark dünyasının sahibi olma şuuruna ermişlerdi. Biz bu yolda hatalar yaptık. O zaman da yaptık, ondan sonra da yaptık. Büyük kahramanlıklar gösterdik, büyük başarılar gösterdik, çok basiretsiz hareketlerimiz de oldu. Tam tabiriyle yanlışlıklarımız oldu. Trajediler de yaşadık. Biz Birinci Cihan Harbi'nde büyük devlet olduğumuzu her tarafıyla gösterdik, bir tarafıyla da dünyadan bihaber insanların elinde olduğumuzu gördük. Her şeye rağmen Birinci Cihan Harbi'nde biz bir vatan ve millet olduğumuzu ispat ettik. Tarihte çok az milletin böyle destan yazma kabiliyeti olmuştur, şansı da az olmuştur, kabiliyeti de az olmuştur. Gelibolu gibi bir olay herkeste görülmez; hatta asker ve saldırgan geçinen memleketlerde bile olmaz. Almanların Gelibolu'su var mı? Yok! Çünkü Almanlar saldırır, vatan savunmaya gelince ise çözülür. O şuur yoktur aslında. Ama Fransızların vardır. Nitekim Verdun vardır, Marne vardır; kuzeyimizdeki komşumuz Rusya'nın –ister beğenelim, ister beğenmeyelim– Smolensk'i vardır, Stalingrad'ı vardır.

Biz Gelibolu'muzla, Sarıkamış'ımızla, Halep'imizle vatan savunmasını bilen nadir milletlerden olduğumuzu göstermişizdir. Bu, tarihin getirdiği bir seciyedir; ama aynı zamanda bir eğitim ve teşkilatlanma meselesidir. Eğer biz 19. asrın sonu ile 20. yüzyılın başı ve sonunda bu seciyeyi göstermiş isek, her zaman büyük komutanlarımız, büyük devlet adamlarımız ortaya çıkmış ise, pekâlâ işgalcilerle uyuşma yolunu rahat rahat seçebilecekken namus için kafa tutmuş ve bunu da başarabilmiş isek, bunun bir geleneği var demektir.

Bu geleneğin çizgisini teşkil edenlerden birisi de Osmanlı İmparatorluğu'dur, Osmanlı tarihidir; yani milletimizin uzun tarihindeki altı asırlık dönemdir. Biz ona sahip çıkmak zorundayız ve onu biz tartışamayız. Orada ancak öğreneceğimiz şeyleri tartışırız. Burada kimlik tartışması olmaz. Bunu tartışmak bir kere gayr-ı ilmî bir davranıştır. Aklı başında insanlar bunu yapmazlar. Tarihin bir dönemini çıkarmak mantığa uymaz.

II. Abdülhamid devri üzerinde durursak, o dönemde Türkiye ve imparatorluk halkı büyük işler becermiştir ve onunla da biz bugünkü hali inşa etmişizdir. Geleceğimizi de bugünün üzerine inşa edeceğiz. Bunda hiç şüphe yoktur ve parlak bir gelecek inşa etmek için de büyük şansa sahip olan nadir milletlerden birisi gene biziz. Bunu da kimse unutmasın. Bu, insanlara belki iftihar vesilesi olabilir, fakat aynı zamanda müthiş bir mesuliyet getirmesi gerekir. Türk çocuğu, etrafının sorumluluğunu taşıyan bir insan olur ise, ki taşımak zorundayız, yarın bir gün etrafımızda içtimai, iktisadi ve siyasi bir zelzele olduğu zaman seyirci mi kalacağız?

Kalamıyoruz; yani bugün aç olan Gürcistan bizden medet umuyor. Yangın içindeki Azerbaycan bizden medet umuyor. Asya'da bir şey olsa bize bakıyorlar. Balkanlar'da yangına uğrayan, bize bakıyor. O bakınca, biz de "hayır" mı diyeceğiz? Diyemiyoruz. Lüzumlu lüzumsuz konuşan insanlar bile karar mevkiinde olduğunda katılmak ve konuşmak zorunda kalıyorlar. Onun için, "Kabuğumuza çekiliriz" fikrini unutalım, kimse kabuğuna çekilemez. Niye kabuğuna çekilemezsin? Çünkü Lüksemburg Dukalığı'nda değil, bir imparatorluğun bakiyesi üzerindesin. Birtakım sorumlulukların var. O sorumluluk gelip senin yakana yapışır. Bu, kul hakkıdır. Bu dünyada kul hakkı vardır. Sen oraya yardım etmek zorundasın. Niçin yerinde oturamazsın? Çünkü daha 100 sene olmamış, biz oralarda imişiz. İşte onun için II. Abdülhamid devrine bakıyoruz. Niçin yerimizde oturamayız? Mükemmel müesseselerimiz var, o müesseselerimiz tarihten geliyor ve o müesseseler o haliyle yaşamaya devam etmiş, onu yaşatmışlar. Onların nasıl yaşadığını bilmek zorundayız. Bu 100 yılın içinde, 150 yılın içinde olur.

İki nokta üzerinde durmak istiyorum: Bugün birtakım arkadaşlar Abdülhamid paneli için uğraşıyorlar. Benim buraya gelmem bile ne kadar zor. Başka bir şehirden geliyorum. Her türlü kolaylığı sağlıyorlar. Bazı insanlar, mesela bugünkü yöneticiler sorsunlar kendilerine: "Acaba 100 sene sonra bizi anmak için de böyle birtakım adamlar konuşur mu?" diye. Bu çok önemli bir şey. İkincisi, demek ki tarihe mal olan bir kişilik vardır. Birinci Cihan Harbi'nin en zor günlerinde "Hakan-ı sabık" vefat ettiğinde Beylerbeyi Sarayı'ndan cenazesi kaldırılmış. Cenaze mahalle aralarından geçiyor. O dönemde İttihad ve Terakki'nin harp içinde diktası var. Malum, zaten harpte herkesin her istediğini yazıp söylemesi de beklenmemeli; ama evlerin pencerelerinden birtakım kadınlar çıkıyor: "Bize ekmeği 10 paraya yediren, kömürün okkasını 5 paraya aldıran padişahım, bizi bırakıp nereye gidiyorsun?" diye ağlıyorlar. Demek ki, bir insan, bir devlet orada kendini aklamıştır. Onun da kara tarafları vardır; ama muhasebeyi yaptığın zaman aklarla karaları ayırırsın, ortaya ne çıkmış, ona bakarsın. Bilânço diye bir şey vardır. Tarihçi o bilânçoyu namusla, dikkatle, ilmî hassasiyetle yapmak zorundadır. Bunu yapmaz da çalakalem giderse, işte o zaman Beylerbeyi sokaklarında pencerelerden uzanıp ağlayan hatunlar adamı yalancı çıkarırlar, mahcup olursun. Bunların üzerine düşünmek gerekir; çünkü hakikat kaybolmuyor.

***

Midhat Paşa iyi sadrazam olmamıştır. Anayasadan da pek anlamaz, ama Midhat Paşa büyük bir validir. Unutmayın bunu. Bulgaristan Türklüğü çok uzun esaret yıllarını Midhat Paşa'nın bıraktığı anılar, hatıralar sayesinde başı dik olarak yaşamıştır. Türk cemaati, "Büyük valimizin zamanı" diye idame-i hayat etmiştir. Bugünün Suriyesi'nde, Irak'ında onun eserleriyle Osmanlılık yaşar, ama Midhat Paşa'yı methedeceğim diye Cevdet Paşa'yı karalamanın da bir gereği yoktur. Bunu bazı densiz insanlar yapıyor. Cevdet Paşa'yı sen istediğin kadar karala. Adama gülerler. Yazdıkları ortada. Saçma sapan tahlilleri bugünkü safdillere yuttursak yarın birileri, "Yahu bunlar da ne biçim adamlarmış? Cevdet Paşa için neler diyorlar?" derler ve diyorlar; ama siz her satırı ve sayfası altın değerinde eserler yazan bir adamı istediğiniz kadar karalayın, kim dinler? Ben bu memlekette doktora yapana kadar Cevdet Paşa'yı yüzünden okumuşum, kuru malumat diye almışım. Cevdet Paşa'nın kim olduğunu, rahmetli Fazlur Rahman hoca öğretti. (Pakistanlı büyük âlim. Doğru dürüst Türkçe bile bilmediğini söylüyordu, tevazuundan herhalde). Bana Cevdet Paşa'yı o öğretti; yani buradakiler öğretmeseler oradakiler öğretiyor, görüyorsun.

Türk tarihi budur. Osmanlı tarihi budur. İslam tarihi budur. Bunu anlamayan bir Müslüman millet de olabilir, böyleleri de vardır. O da onların hatasıdır. Öğrenene kadar da başlarına çok felaket gelir. Bunu erken anlayan, erken kavrayan insanın da çok çabuk başı göğe erer. Bu önemli bir şeydir. Örnekleri de vardır. Bosnalıları istediğin kadar ez. O Bosna her zaman dirilir; çünkü adamda tarih şuuru vardır. Osmanlıların ne olduğunu bilir...

FATİH SULTAN MEHMED'İN SİYASİ KİŞİLİĞİ

Fatih Sultan Mehmed, hakkında çok şeyler yazılabilecek bir hükümdardır. Mensubu olduğu kavim ve dinî camia, Fatih Sultan Mehmed hakkında müstakil bir eser meydana getirememişken ve şarkiyat araştırmaları da başlangıç dönemindeyken, onunla ilgili hacimce ve içerik olarak büyük bir eser yazıldı.

Bu eser, Franz Babinger'in *Mehmed Fatih ve Zamanı* adlı büyük kitabıdır. Bu kitapta çok büyük kusurlar ve zaman geçtikçe de daha iyi anlaşılan bazı abartma ve saptırmalar vardır.

Bu eser yayımlandığında büyük ses getirmiştir. Ancak kitap, Türkçe'ye maalesef 2–3 yıl önce çevrildi, hem de hatalı olarak. Kitap, Arnavutluk, Sırbistan vs. gibi ülkeler Fatih tarafından fethedilmiş olmasına rağmen, Balkan dillerine de çevrilmeden önce Fransızca, İtalyanca ve İngilizceye çevrildi. Demek ki Balkanlar ve Türkiye'de tarih bilgisine karşı umumi bir atalet yaygındır.

Ayasofya. *Rouargue*.

İnsanlar 'üniversal şahsiyet', dünya tarihi portresi diye unvanlandırılan bir hükümdarı tanımak istiyorlardı; fakat beşeriyetin tezadı olsa gerek, kimse bu değerli şahsiyet üzerine doğru dürüst bir çalışma yapmamıştı. O kadar ki Babinger'in –zor metninin Almancası çok sıkıcıdır– anlamak için hususi terminoloji bilmeyi gerektiren eserini, bu ahalinin münevverleri çevirmemekte ısrar etmiştir. Fatih hakkındaki bu eseri, onu içinden çıkartan millet olan Türkler de duyarsızlık göstererek ancak üç yıl önce çevirmişlerdir, yani aradan 50 yıldan fazla bir zaman geçtikten sonra. Bu bizim için çok büyük ayıplardan biridir. Toplum olarak gıpta edilecek birçok niteliklerimiz, vasıflarımız ve değerli şahsiyetlerimiz var; fakat en utanılacak yönümüz tarih yaptığımız halde tarih öğrenmemek, tarih yazmamak konusundaki budala ve cahilce ısrarlarımız…

Babinger'in kitabına dönersek bu eserde çizilen Fatih portresi büyük mareşalin portesidir; fakat eksiktir. Yazarın, Fatih'in askerî

SON İMPARATORLUK OSMANLI

dehasını iyi yansıtacak bilgi ve kabiliyeti yoktur. Ayrıca karşımızda Fatih gibi üniversal entelektüel bir zat vardır. Hakkını vermek lazım, Babinger buna da dokunmuştur ve Fatih'in bu yönünü bizden daha iyi resmetmiştir. Fatih Sultan Mehmed Han, şarkta iki asırdır örneği hiç görülmeyen hele hele bugün kendi milleti arasında hiç olmayan, komplekssiz, Batı'ya ve Doğu'ya açık, kendi hukukuna sahip bir entelektüeli temsil etmektedir. Bu entelektüel, Babinger'in tarif ettiğine göre, Kritovulos, Languschi gibi ya yerli Rumlar ya da diplomat İtalyanlar, Venedikli veya alakasız Avrupalı münevverlerin tasvir ettiği gibi; Yunancaya oldukça vâkıf, Farsçayı ve Arapçayı zaten bilen, dünya tarihini, hatta Homeros'un *İlyada*'sını okuyan, okutturan, şerh ettiren; tabiî ki İran mitolojisini bilen ve Türkiye'nin sadece İslam değil, İslam öncesi tarihini bile merak eden büyük bir adamdır. Böyle bir münevver portre, bugün için mevcut değildir. Esasen İslam dünyasının münevverleri iki asırdır sadece kompleksler içinde kıvrandıkları için, böyle kendinden emin bir insana büyük saygı duymalı ve onu örnek almalıdırlar. Bu yönü üzerinde kimse durmamaktadır. Babinger bütün önyargılarına rağmen Fatih Sultan Mehmed'in bu yönünü çok iyi tasvir etmiştir.

Fatih'in, bu dâhinin başka bir özelliği kendi özgün hayatındaki yaratıcılığıdır. İşte bu onun bilinmeyen tarafıdır. Şiiri, resim sanatına vukufu çok iyi anlaşılamamaktadır. Fakat hiç anlaşılamayan tarafı, tarihteki bazı büyük Roma imparatorları gibi protokol ve dünya çizmekteki marifetidir. Fatih Sultan Mehmed bir imparator portresine, dehasına doğuştan sahiptir, fakat o dehanın içinde, bir imparatorun görünümü ve etrafındaki protokolü, manzarayı büyük bir vukufla oluşturmuştur. İşte bunun üzerinde hiç durulmaz. Evvela bir emperyal protokol oluşturmuştur; padişah nasıl yer, nasıl içer, sabah nasıl kalkar, gece nasıl yatar, halk arasına nasıl girer diye bir dizi protokol kuralı koymuş ve oluşturmuştur. Bu konuda tarihteki en başarılı hükümdarlardan olduğu açıktır. Bunu anlamak için müthiş bir kültür tarihi birikimimizin olması lazım.

Fatih'in hayatını ve imparator portresini çizecek adamın, eski Roma'yı, Bizans'ı, muasır Rusya'yı, İran'ı, 16., 17. ve 18. asrın İspanyol, Fransız protokolünü çok iyi bilmesi gerekir. Fatih'in çizdiği emperyal protokol ve şahsiyet, Fransa'nın çok ilerisindedir. XIV. Louis bunu çizenlerden biridir, ama onun ortaya koydukları abartmadır ve yer yer komiktir. Bunu çağdaş filmlerden ve eserlerden görüyoruz. 14. asırda çok yüceltilen bu tarihî şahsiyetle Fransızların bugünkü torunları sadece alay ediyor. Yeni nesil rejisörlerin çevirdiği filmlerde görüyoruz nasıl yemek yiyorlar, o yemek hangi pis mutfaklarda, hangi şartlarda hazırlanıyor. XIV. Louis etrafındaki aristokrasiyi ezmek için otantik bir teşrifat düzeni icat etmiş. Bunlar bir hükümdarın yüksekliğinden çok, bir edepsizlik ve görgüsüzlüktü aslında.

XIV. Louis, bunun yanında müthiş kıyafetler tasarlamıştır. Ne olduğunu biliyoruz. Fazla abartı, ama Fransız dokuma sanayiine hizmet eden bir tüketim yarattı. Fatih de öyledir. O kumaşlarla bir dokumacılık patlaması yaşandı. İhraç konusu oldu. Onun kaftanlarına bugün huşuyla yaklaşıyoruz. Karşımızda dünya tarihinin en sade, fakat en ince, en güzel renklerde giyinen bir hükümdarı var. Fiyatının ucuzluğu nispetinde karşısındaki insanları ezen bir giyim bu. O gün eziyordu, bugün eziyor ve hep ezecektir. İnsanlar Fatih'in ardında kalan kaftanlarına baksalar, karşılarında üniversal bir hükümdar görecekler. Hiçbir zaman 17. ve 18. asır Fransası'nda bu sadeliği göremezsiniz; abartılmış bir tekstil tüketimi söz konusudur. Rusya çarları da öyledir. Hâlbuki Fatih'in oluşturduğu tarzda, bir asalet ve özgünlük söz konusudur. Fatih Sultan Mehmed, çok büyük bir tasarımcıdır. Karşımızda halkla imparatorluğun ilişkilerini çizen, onları etkileyen büyük bir sanatkâr vardır.

Topkapı Sarayı hakkında da bazı konuşmalar yapılır, ihtiyaca göre zaman zaman bazı bölümler ilave edilmiş derler, "Gece-kondu misali oda eklenmiş" demeye getirirler. Manasız yorumlar bunlar.

İnsanlar mütevazı yaşamışlar, ihtiyaç oldukça saraya eklemeler yapmışlar. Versailles Sarayı gibi binalar yapıp da hazineyi mi sarf etselerdi? Tetkikat yapmak lazım tabiî bunları bilmek için, Fatih Sultan Mehmed Han, Topkapı Sarayı'nın planını öyle tasarlamış ki ondan sonraki ilaveler de o planlara uygun olmuş. Nitekim Gülru Neciboğlu'nun Saray Arşivi'nde bulduğu bir kroki bunu gösteriyor. Bakıldığı zaman görülüyor ki, insanı ezen bir ihtişam yok. Sanki avuç içi kadar bir yer ama bununla beraber neresinden baksan muhteşem. Hele Saray'ın dışından baktığın an, devleti ve imparatoru tepende görüyorsun. Son derece muhteşem bir şey. Oraya gelen insan sayısı bellidir. Orada yapılacak tören bellidir. İnsanların kamu otoritesiyle ve Allah'la karşılaştıkları yerde, muhteşem bir mimari söz konusudur.

16. yüzyıl gezgini *Salomon Schweigger*, "Bütün sahte dindarlar gibi Allah'ı kandırmak için camiler, mabetler gibi böyle muhteşem yapılar ortaya koyarlar. Buna rağmen evleri son derece mütevazı" diyor. Bundan da anlaşılıyor ki Osmanlı'da başka türlü bir anlayış var. Bunu vesikalar da gösteriyor. Mesela sarayın içinde mimar için kâğıt masrafı kayıtları var. Mimarbaşının muhasebecisi durumunda olan şehremini, kâğıt harcamalarından bahsediyor bu vesikalarda. Belli ki çok miktarda çizim yapılıyor. O dönem yapıları için çizim yapılmamış gibi bilir bilmez iddiaların yanlışlığı vesikalarla ortadır.

Bu imparatorluğun son satveti, tebaayla olan ilişkilerde ortaya çıkmaktadır. Fatih Sultan Mehmed babasının ve dedesinin aksine bir divana hükmetmeyi, onu idare etmeyi kaldırmış, yani divanda oturup da falanın filanın hükmünü dinlemeyi, falanın filanın hükmüyle, sorusuyla karşılaşmayı veya onunla muhatap olmayı, belki o arada onun soracağı zekice bir soru veya tenkit karşısında kızarıp mosmor olmayı ve yahut hiddete gelip onu haşlayıp onun seviyesine düşmeyi reddetmiştir. Bu bir emperyal tersim; bir hükümdarlık tersimidir.

Fatih, tamamen kenara da çekilmemiş, kafes usulünü kullanmıştır. Kafes usulü çok enteresandır ve biz bunu bilmiyoruz. Çok iyi biliyoruz ki Fatih, yemeği artık başkalarıyla yemiyor. Eğer birisiyle yemek yiyorsa bu çok önemli bir işarettir. Mesela Patrik Ghennadios'u bütün imparatorluğun Rum-Ortodoks Patriği olarak tayin ederken yemek yemiş; yalnız yemek yiyor. "Reddettim öbürleriyle yemek yemeyi" diye açıkça kanunnamesinde yer alıyor. Bu bir hükümdarlık dizaynıdır. Bunun üzerinde durmak lazım. Bunu yapmadığınız takdirde ne olursunuz, gene iyi olursunuz ama işte bütün orta zamanlardaki barbarların hükümdarları gibi herkesle bir arada olursunuz. Böyle bahadırlar arası, bir şef gibi samimi ama daha çok laubalilik içinde devam edersiniz. Bu tavır önemli konum; bunu yaptığı ölçüde imparatorlukta birtakım kompartımanları, birtakım dinleri birbirine bağlamak, onların arasında bir hiyerarşi tesbit etmek söz konusudur.

Açık söyleyeyim, bugünkü Türk milliyetçiliği Fatih Sultan Mehmed'in emperyal tersimlemesini anlamadığı için gaf yapmaktadır. Patrikhane konusunda biz Osmanlı mevzuatını ve onun çizdiği tabloyu tanımadığımız için hep gaf yapıyoruz ve yüzümüz kızarıyor. Bu utanılacak bir şeydir. Kimseden hiçbir şey istemiyoruz. Siz Avrupa Birliği kurallarını falan takip etmeye kalkmayın, o yolu gösterebilecek öyle bir şey yok zaten. Kendi kendinize kanun yapmaya da kalkmayın. Siz ananeyi takip edin. O tablo sizin için çizilmiş, onu takip edin, burnunuz da, boynunuz da havada gezerseniz, kimse size yetişemez. Fazla tafra satmanıza, laf etmenize de lüzum kalmaz. Bu çok önemli bir unsurdur.

15. asırda, Rönesans'ın ortasında bizim karşımıza bir büyük Rönesans hükümdarı çıkmıştır. 15. yüzyıl Rönesansı'nın devlet yöneticisi, hükümdar portresi nerededir derseniz Fransa'ya, Roma'ya bakmayın. O portre İstanbul'dadır. Bu çok açık bir gerçektir. Bunu da ben söylemiyorum, başkaları söylüyor. Şimdi burada birkaç dil

SON İMPARATORLUK OSMANLI

bilen, tarihler okuyan, musikiler dinleyen, Şark'a ve Garb'a açık, kendi emperyal protokolünü kendisi çizen, sarayını buna göre tersimleyen, mütevazı da olsa bir büyük hükümdar vardır. Ve o, ateşli silahları kullanan bir ordunun başındaki mareşaldir. Bu da çok önemli. Babası da mareşaldi, dedesi de mareşaldir, büyük dedesi mareşaldir; fakat Fatih, ateşli silahların kullanıldığı, muasır bir ordunun mareşalidir. Ve bütün bu özelliklerin etrafında bu genç insanın, bu dâhinin çizdiği hükümdar portresi son derece orijinaldir. Bundan bize ne kalır? O örneği takip edelim sadece bu yeter. Sorunları halledersiniz. Çünkü bazı sorunlar; maalesef kasabalının görüşüyle değil, bir imparatorluğun görüşü ve tersimciliğiyle halledilir. O zaman mirası kullanalım.

LALE DEVRİ

Osmanlı başkenti 18. yüzyılda, tarihinde alışılmamış bir sulh dönemine girdi. 1711 Prut zaferi ve ardından gelen 1718 Pasarofça antlaşmaları ile uzun harp yıllarının kayıpları kısmen telafi edilmiş, Şair Nedim'in gözde olduğu bir hayattan kâm alma havası yönetici grupları sarmıştı.

18. yüzyıl Türkiyesi'nde tarımda ve zanaatlarda önemli bir gelişme olduğunu söylemek mümkün değildir. Bununla birlikte barışın getirdiği bir rahatlama tüketimi artırmıştı. Nitekim lale gibi güzel, mistik ve Asya'dan Türkler tarafından getirildiği anlaşılan bir çiçeğin etrafında şekillenen bu tüketim, aslında bir müddet evvel Felemenk ülkesini çok daha derin boyutlarda kasıp kavurmuştu. Yetiştirilen yeni lale türlerinin soğanlarını adeta açık artırma yoluyla kumara çeviren bu çılgınlık Hollanda'da tüccar hanedanlarını bile batırmıştı.

Adalarda eğlence.

Hollanda'daki lale çılgınlığına nispetle Türkiye'nin Lale Devri hayırhah biçimde değerlendirilmelidir. Bu dönemde lale düşkünlüğü şiir ve tezhiple, giyim kuşam ve yemek zevkiyle insanları belirli noktalarda birleştiriyordu. Sofra tanzimindeki inceliğin evvelki devirlere göre geliştiği müşahede edilmektedir. Yine kıyafet, mücevherat alanında bir incelme olduğu, asıl önemlisi bu incelmenin daha geniş gruplara yayıldığı gözlemleniyor. Topkapı Sarayı'nın hazinelerinde bile bu gelişmeleri görüyoruz ki sergimizde canlı örnekler mevcut.

Diğer taraftan, lale soğanını yetiştiren insanın toplumsal mevkii, mali durumu, tahsili ayırt edilmeden cemiyet içerisinde adeta ortak bir seçkinler tabakası oluşturulduğu görülüyor. Dönemin biyografi yazarlarından Ubeydullah'ın *Tezkire-i Şükufeciyan* adlı eserinde ilmiye hanedanlarının en seçkin üyelerinden bahçıvana, kasaba, bir şairden esnafa kadar herkes yer alır. Mühim olan ilahi çiçek lalenin güzelliğini anlamak ve ona hizmet etmektir.

SON İMPARATORLUK OSMANLI

18. yüzyıl Türkiyesi, Batı Avrupa'ya *turquerie* denilen modayı, daha doğrusu yaşam üslubunu hediye etmiş; Avrupa baroku da mimariyle, bahçeleriyle, porseleniyle Osmanlı'nın büyük şehirlerine girmiştir. Bu sulh dönemi içinde ordularımızın Avusturya ve Rusya ile er geç çatışacağı bellidir. Bu asrın bütün savaşlarının modern teknolojili ordularla yapıldığı açıktır.

Osmanlı'nın başkentinde trigonometri, balistik öğreten mühendishaneler, giderek askerî cerrah ve veteriner yetiştiren okullar açılmaktaydı. 18. yüzyıl Türkiyesi'nde modern tıpla üfürükçülük, tekkelerde süren sanatlarla medreselerdeki eğitim modern eğitimle birlikte yaşamaktaydı. Geleneksel sanatlarımız ve bilhassa resim sadece Avrupa'dan değil, İran'dan esen rüzgârlardan da esinleniyor; insanlar şehirlerini tanımak için Ayvansarayî Hafız Hüseyin'in *Hadikât'ül Cevamî* ve Ermeni İnciciyan'ın İstanbul üzerine yazdığı eserleri okuyor veya okutup dinliyordu.

İstanbul'da klasik sanatlarda bir açılım başlamıştı. Daha evvel iktidar sahibi grupların aldığı birtakım ürünlerin çarşı pazarda satıldığı görüldü. İstanbul'un seçkinleri kadar halkı da aynı tip edebiyatla ilgilenmeye başlamıştı. Mevlevi tekkelerinin, Rufailerin çok geniş bir kitleye musiki ve tezhip öğrettiği, *Mesnevî* okuttuğu anlaşılıyor. Öte taraftan sadece Şair Nedim değil, *Tayyarzade, Hançerli Hanım* ve *Şahmeran masalları* bazısı çok gerçekçi, bazısı menkıbevi ve masalımsı halk hikâyeleri halinde, kahvelerde meddahların dilinden naklediliyordu. Yazmaların sayısı çoğalmıştı.

Bir müddet sonra matbaa ortaya çıktı. Hayatımıza girdiği söylenemez. Bazı eserler, yazmanın istinsahı (kopya edilmiş nüshaları) halinde yaşıyordu. Fakat ilginç olan halk edebiyatının taşbaskılarla çoğaltılmasıdır. Lalenin etrafında sokaktaki insan incelik, zarafet arar olmuştu. Çarşı esnafından manastır keşişlerine, medreselilerden tarikat ehline; insanlar tören, ritüel ve musiki izler hale gelmişti. Bu çağ edebiyatımızda da resmimizde de, süsleme sanatlarımızda

Küçüksu'da müzisyenler. *William Henry Bartlett.*

da lale ile temsil ediliyor. Lale 18. yüzyılın Osmanlı imparatorlarını birleştiren bir semboldü.

Yirmisekiz Çelebi Mehmed Efendi Fransa'dan Lenoir'ı celbetmişti. Kasır ve sarayların etrafı bu üslupta parklarla bezendi. Meydan çeşmeleri hatta namazgâhlar çiçek ve lalelerle bezendi. Kasımpaşalı Ahmed'in geliştirdiği türe *Ahmedî adı* verildi. Ulemadan Fenarizade Ahmed Efendi Kıbrıs laleleri ile tanınırdı. Şalgam Ahmed Çelebi ve bizzat Padişah III. Ahmed çiçekçilik düşkünüydü. İstanbul kibarlarından Sinan Paşazade Süleyman Bey de yeni türler geliştiriyordu. 18. yüzyılın namlı çiçekçilerinden biri, *Katmer Kehrubâ* cinsini yetiştiren Uzun Ahmed'di. Ubeydullah'ın eseri, Rugani Ali Üsküdarî'nin, bu ünlü çiçek ressamının eseriyle tamamlanıyordu.

18. yüzyılın cami, sebil, namazgâh ve hatta Selimiye Kışlası gibi büyük barok binaları lalelerle süslendi. Bu devrin adı lale olsa da olmasa da güzelliğin yayıldığı, zarafetin yerleştiği bir Türk asrıdır.

HAREM

Harem, Arapça "yasak" anlamındadır. Mahrem bundan türer; çoğumuzun avami bir yanlış olarak düşündüğümüz "selamlık" karşıtı "haremlik" sözü de bu anlamda doğrudur; hatta Yemen gibi ülkelerde de kullanılmaktadır.

Topkapı Sarayı'nın en çok sözü edilen ama en yanlış bilinen yeri, Harem'dir. Sarayın ve bütün devlet protokolünün en başta gelen bölümüdür, çünkü padişahın evidir ve padişah evinin başında da valide sultan yer alır. Sarayın haremi iki yazımızın konusunu teşkil edecek.

Çok kişinin sandığının aksine Harem, Şark Müslümanlarına has bir kurum değildir, üniversaldir. Yani zamanlara ve mekânlara yayılmıştır. Harem gibi uygulamaların görülmediği milletlerin ve hükümdarların da kadına daha saygılı oldukları söylenemez. Versailles Sarayı'ndaki XIV. Louis, çağdaşı II. Mustafa ve III. Ahmed'i kıskandıracak kadar bol hatunlu, bol masraflı bir hayata sahipti.

Eski Çin'de, Hint'te, İran'da ve Bizans'ta, hatta Floransa senyörlerinin saraylarında harem ağası da, cariye de vardır. Osmanlı bu kurumun en son bilinen örneğidir. Bugün belki bazı petrol zenginlerinin saraylarında kadın kalabalığı olabilir; ama bu gelenekle ilgisi olmayan bir bidattır, yani sapmadır.

15. yüzyıl sonuna kadar Osmanlı padişahları çokeşli evlilik yapsalar da, komşu hükümdarların kızları tercih edilirdi. Orhan Gazi, Kantakuzenos'un kızı Prenses Karlofene, I. Murad ise İmparator Bulgar kralı İvan Aleksandr'ın kızı ile evlendi. Yıldırım Bayezid Han ise Kütahya Germiyan hükümdarı Süleyman Şah'ın kızı, sonra bir Bizans prensesi ve sonra Sırp despotunun kızlarından biri ve nihayet Aydınoğlu İsa Bey'in kızı Hafsa Hatun ile evlendi. II. Bayezid Han'ın annesi Dulkadiroğlu hanedanından Siti Hatun'dur.

Son yıllarda şeceresi tartışılmakla birlikte, hanedandaki en son mavi kanlı prenses; Yavuz Sultan Selim Han'ın eşi ve Kanuni Sultan Süleyman Han'ın validesi, Kırım Hanı Mengli Giray Han'ın kızı Hafsa Hatun'dur.

Osmanlı hanedanın büyükannesi Hürrem Sultan, çocukları tahta çıkmadan vefat ettiği halde Kanuni Sultan Süleyman tarafından sultan unvanı verilen, Avrupalıların Roksolana dediği Ukraynalı zeki ve güzel bir kızdı. Diğer büyükanne de gene Ukraynalı olan Hatice Turhan Sultan'dır. I. İbrahim'in eşi, IV. Mehmed'in annesidir. Anlaşılan hanedanımız Türk-Ukrayna karışımıdır.

Saraya gelen cariyeler, ya Kırım Hanlığı atlılarının Ukrayna ve Polonya ovalarından toplayıp getirdiği esireler ya da Azak ve Kefe sancak beyi gibi görevlerin satın alıp hediye ettikleri veya Akdeniz'deki Cezayir korsanlarının ele geçirdikleri güzellerdir. Venedik soylusu Bafo ailesinin kızı Safiye Sultan da bunlardandır. Bunlardan başka Kafkasya veya Akdeniz adalarındaki, Balkan dağlarındaki fakir fukaranın canları kurtulsun diye saraya gönderdiği veya esirciye verdiği genç kızlar hareme gelirdi.

Harem.

19. yüzyılda durum çok değişti. Daha çok hanedana ve halifeye bağlılık duygusu ile Çerkez veya Dağıstan aileleri, hem de soylu kesimi, hanedana gelin verircesine kızlarını saraya gönderirlerdi. Örnek vermek gerekirse II. Abdülhamid Han'ın dördüncü kadını ve Ayşe Sultan'ın annesi Müşfika Kadınefendi, Abhaz beylerinden Ağır Mustafa Han'ın kızıydı.

***

Her topluluk gibi Harem'de de eşitsizlik vardı. Bu doğaldır. Güzelliği ve zekâsıyla temayüz edenler padişah gözdesi, ikbal ve giderek şehzade veya sultan annesi haseki olur, hatta günün birinde valide sultanlığa ulaşırdı. Hiç belli olmaz, kocası padişah ölünce Eski Saray'a gönderilmiş bir hasekinin, günün birinde oğlu padişah olunca Beyazıt'tan Topkapı'ya her karakol menzilinde ihtiramla selamlanıp, sarayda padişah tarafından eli öpülerek valide makamına ulaşması da mümkündü. Bu raddeye çıkamayanlar dışarıdan evlilik yapar, yani çırağ edilirlerdi. Asıl olan da buydu.

Sarayın enderundaki gençlerinin biruna çıkması, yani idarede görevlendirilmeleri gibi Harem halkı da kimi zaman padişahın gözdesi dahi olsa saraylılarla veya diğer görevlilerle evlendirilirlerdi. Harem'in kapısındaki "Hayırlı kapılar açan Allah'ım bize de hayırlı kapılar aç" ibaresi bunu gösterir.

Enderun ve Harem birlikte yönetici bir sınıf yaratan iki kurum, iki topluluktu. Talihi o kadar yaver gitmeyenler sarayda kalır, zekâ ve sadakati ölçüsünde harem kethüdalıklarına, hazinedar usta gibi bir memuriyete kadar yükselebilirlerdi. Nihayet bunu da yapamayanların basit hizmetçilikte kaldıkları da bir gerçekti. Geçmiş asırların korkunç hastalığı verem de haremdeki güzelleri tehdit eden belalardandı.

Bununla beraber karamsar manzaraların yanında ilginç görünümler de vardır. Harem halkına yılda üç kat elbise verilir, makul bir yevmiye de buna ilavedir.

Sarayın yemekleri malum, bundan başka Osmanlı sarayı okuma yazma oranının hayli yüksek olduğu bir yerdir. Hatta bazı cariyelerin, hizmetinde bulundukları şehzadeler kadar düzgün imlası vardı. Hürrem Sultan gibi şiir yazacak dil ve edebiyat öğrenimini başarıyla tamamlayanları unutmayalım. Harem kadınları Osmanlı kültürünü, dil ve musikisini kapardı. Evlenip dışarıya çıkanlar halkın arasında saraylı hanım olarak bu kültürü etrafa yayardı.

***

Topkapı Sarayı Harem bölümünün, bugüne kadar ciddi bir rölövesi ve mimari değerlendirmesi yapılmış değildir. 1960'larda bir bölümü restore eden Yüksek Mimar Mualla Eyüboğlu'nun eserinden ve yaptıklarından anlaşılıyor ki, Harem'e 19. yüzyıla kadar ilaveler yapılmış, bazı koğuş ve odalar da ahşap yapılarla ikiye bölünmüştür. Esasen Harem'in Topkapı Sarayı'na nakli de 17. yüzyılda Kanuni Sultan Süleyman devrine ait bir olaydır. Bu vakte kadar bugünkü Topkapı Sarayı, padişahların günlük hayatlarını geçirdikleri ve daha çok resmî büroların bulunduğu bir yerdi. Beyazıt'ta üniversitenin bulunduğu bölgedeki saray, padişahın evi ve haremiydi.

16. yüzyıldan sonra da sarayın mimarisi ile pek uyum teşkil etmeyen bu bölüm genişlemiş, hatta padişah evini teşkil eden birtakım bina ve köşkler sahile doğru yayılmıştır. Bugün bunların çoğu elimizde yok. Sepetçiler Kasrı ise padişah pavyonlarından sayılmaz. Sultan Abdülaziz döneminde bu bölgeden geçen demiryolu her şeyi altüst etmiştir. Demiryolu hattının kaldırılmasıyla, Sirkeci-Ahırkapı bölgesinin yeniden bir gezi ve restorasyon bölgesi olarak ağaçlandırılması düşünülmelidir.

Osmanlı Saray Haremi'ni uçsuz bucaksız koridorlar, sayısız odalar, çıplak cariyelerin yüzdüğü havuzlu sofalardan oluşan büyük bir mimari kompleks olarak düşünmek abestir. Harem bölümü aslında 16. yüzyılda oluşan yeni idari anlayışın mühim bir aygıtı, bir önemli kurumudur. Ama aynı zamanda trajik bir mekândır.

***

Bugünkü Harem, sarayın Gülhane Parkı'na doğru eğimli arazisi üzerinde Mimar Sinan tarafından inşa edilmiştir. Şurası muhakkak ki, bütün saray gibi Harem bölümü de gayet sıkışık yaşanılan, ölçünün ve sert kuralların hükmettiği bir yerdi.

Harem aslında iki bölümden oluşur: Üst ve alt bölümler. Gözdelerin, yani ikballerin, hasekilerin oturduğu üst bölüme sarayın "Kuşhane Kapısı" denen orta avludaki kapıdan girilir. Burada Altın Yol üstünde ilk olarak darüssaade ağası ve ona bağlı harem ağalarının odaları yer alır. Esirciler tarafından Habeşistan'ın güneyinde avlanan zenci çocuklar ne gariptir ki Yukarı Mısır'daki Hıristiyan Kıbtî manastırlarındaki rahipler tarafından ameliyatla hadım edilir ve haremlere sevk edilirdi. Sarayın bu kesimi onların muhafazasındaydı.

Yine üst katta, yani Harem'in saray avluları hizasındaki bu bölümünde 1. Abdülhamid, III. Osman, III. Ahmed gibi padişahların odaları bulunur. Çinileriyle meşhur bu bölümde Veliahd Dairesi de yer alır. Harem'in derin katına, Cariyeler Avlusu'ndan aşağıya "Kırk Merdiven" denen basamaklarla inilir. Burada iki tarafta koğuşlar bulunur. En alt sofada ise Cariyeler Hastanesi, Gasılhane ve Meyyid Kapısı denen –isminden de anlaşılacağı üzere cenazenin çıktığı– kapı yer alır. Harem, Gülhane Parkı'na doğru eğimli bir arazi üzerinde kurulduğundan Kuşhane Kapısı ile bu kapı arasında dik bir merdivenin bağlantı kurduğunu ve havalandırma deliklerinin de buna paralel olduğunu belirtelim.

Yetenekli veya yeteneksiz, güzel veya az güzel, sağlıklı veya sağlıksız olarak doğmuş olmanın ve zekâ farklılığının insan hayatını harem kadar etkilediği bir başka mekân yoktur. Enderunlular kadar olmasa da Harem halkının da eğitimi vardır; okuma yazma başta olmak üzere musiki, dikiş nakış ve adap erkân olmak üzere dışarıdakilere göre iyi eğitim görebileceği açıktır. Hiç kuşkusuz entrika düzeni kendine göre zengindir. Haremin sürekli politika ve entrika üretilen bir yer olduğu ise tartışılır.

Bu özellik, yani Harem'in politik entrika merkezi olması bizim tarihimizde bir asrı kapsar. Yani Hürrem Sultan ile Kösem Sultan'ın büyük valide olduğu iki devir arası dışında; saray hareminin herhangi bir mahfelden daha politik olduğunu söylemek zordur.

Harem halkı yani cariyeler, ikbal denen gözdeler, hasekiler ve valide sultan, nihayet kalfalar ve ustalar gibi görevliler sınıfı dışında; hanedan üyesi olan sultanlar, şehzadeler, IV. Mehmed ve III. Selim gibi şimşirlik denen hapishaneye kapatılan eski padişahlar Harem halkını oluştururdu. 15. ve 16. yüzyılda Harem'de hiç de kalabalık bir nüfus yoktu. Vakıa ki şehzadelerin sancaklara gönderilmesinden vazgeçildi, kafes ve şimşirlikteki cariye sayısı da arttı.

Tarihçilerin verdiği rakamların mekânla uyuştuğu şüphelidir. Üstelik bunlar başka kaynaklarla da pek kontrol edilmişe benzemiyor. 18. yüzyıl için verilen 400 küsur rakamı fazla görünüyor. 19. yüzyıl için tekrarlanan Dolmabahçe ve Yıldız Sarayı'nın 600 küsur kişilik nüfusu da haremin konumu açısından yeniden gözden geçirilmelidir.

Harem bahtsız genç hayatların başladığı bir mekândır, talihi yaver giden kızlar en üst noktaya kadar tırmanır. Harem'de yaşam hiç de kolay değildi; halk arasında ağzını yaya yaya Harem'den bahseden insanların gerek burada yaşanan çetin hayatı, ama aynı zamanda buradaki yetenekli ve zeki kadınların yarattığı kültürel ortamı tanıyıp anlamadıkları ve tarihteki bir topluluğa bilir bilmez saygısızlık ettikleri çok açıktır.

Harem eğlencelik bir yer değildir, her şeyden önce bir evdir. Hiç değilse her ailenin evi kadar saygı gösterilmesi gerekir. Topkapı Sarayı'nın Harem dairesi önceden öğrenerek sessizce ve edeple gezilecek bir yer olmalıdır.

OSMANLI'DA "ÖTEKİ"

"Öteki-*other*" Anglosakson çevrelerin son icadı. Bu "*alienus*" anlamında bir kelime. Bence hiç de tutarlı olmayan, yani tarif vasfı olmayan bir deyim. "Öteki" bir Rus matriyoşkası gibi sonsuz iç içelik ihtiva eden bir kavram. Hıristiyan için Yahudi öteki, Yahudi'nin içinde Eşkenaz ve Safarad Yahudi öteki. İdare edilen, edene *öteki* diye bakıyor. "Velayetün-nas belayü'l-azim" -başkasını idare büyük beladır- diyor Ortaçağ Arap devlet teorisi... Renkler, âdetler, yenen yemekler insanları birbirine göre öteki yapmaya yeter. Kapalı kavimler "öteki" mevhumunu kolay yaratıyor, üstüne düşüyor ve abartıyorlar. Beşeriyetin sorunlarını çözmeye çalışan bir alay endüstriyel toplum bu abartmanın âlâsını yapıyor; "öteki"yi yaratıyor, abartıyor, büyütüyor, sonra da kendi pişirdiği put biçimli ekmeği yiyen Cahilliye Arapları gibi, problemle gürültü patırtı çıkarıp, güya savaşıyor.

Her şey *öteki* olabilir. Kadın ve erkekten itibaren bu ayrım başlayabilir. Bu kadar geniş kapsamlı bir tarifle, bu kadar geniş kapsamlı bir kavramla dünyamızı anlayabilmemiz pek mümkün değil. *Öteki* doğrudan doğruya azınlıklara hâkim grupla, hâkim olmayan bir grup, idare edilenle, idare eden bir grup arasındaki ilişkileri tarife yöneliktir. Hiç şüphesiz ki sosyal bilimler alanında böyle bir konuya el atmak için tarih vazgeçilmez bir alandır. İki nedenle: Birisi epistemolojik olarak bilgi bakımından gereklidir. Tarih deneyimi, tarihî olayları tefsir etmek, yorumlamak bize geniş bir ufuk kazandırır. İkincisi zaten yaşadığımız toplumda birtakım sorunları anlayabilmek için onun geçmişine yönelmek zorundayız.

Geçmiş olmadan bir sorunu, bir müesseseyi, bir devamlılık gösteren olayı anlamamız mümkün görünmemektedir. Hiç şüphesiz bizim mensup olduğumuz çevre, dünya imparatorluğunun bize devrettiği çevredir. Biz bir büyük imparatorluğun, tarihteki *son Roma*'nın, son kozmopolit imparatorluğun vârisi olan milli bir cumhuriyetiz. Ulusal bir devletiz. Fakat bu ulusal devletin içindeki sorunların önemlice, çok önemlice bir kısmı bu imparatorluğun bünyesinden bize kalmıştır. Onun için bunu bilmek zorundayız. Bunu bu açıdan kullanıyorum ve bu mirası, bu geçmişi bildiğimiz takdirde de sorunları her kabul edişimizde daha soğukkanlı olacağız. Bizim milli bünyemizdeki, ulusal bünyemizdeki bu sorunları hiçbir şekilde Avrupa devletlerinin mazisine, geçmişine bakarak çözmemiz mümkün değildir. Anlayamayız. Kavrayamayız. Çünkü o tip bir yapılanmamız yoktur.

Mesela bir Almanya, bir İskandinavya, bir Polonya nihayet işte geçmişteki bazı göçebe milletlerin, kabilelerin bir araya gelmesiyle, bunların kullandıkları dilin etrafında Hıristiyanlığın ve kültür olarak da Roma mirasının, ama taşradaki uzantısının bıraktığı müesseselerle oluşmuştur. Buralarda aşırı yabancı unsurlar yani *alieni-öteki* dediğimiz yabancı unsurlar pek yoktur. Bu unsur orta zamanlar boyunca Yahudi idi ve bu toplumlar Yahudiliğe karşı tahammülsüzdü. Yani dinin ortaya koydukları, dinin getirdiği ideoloji en başta böyle bir yabancılığı, böyle bir düşmanlığı körüklüyordu. Hz. İsa'yı çarmıha gerenler, Romalılar değildir. Romalı vali Pontius Pilatus'a bunu emreden, empoze eden Yahudilerdir ve demişlerdir ki: "Bu adamın kanı bize aittir. Biz mesulüz; bu bizim şeriatımızı ihlal ediyor. Bunu çarmıha gereceksin." Bu doktrin dolayısıyla ilk önemli büyük konsil, Hıristiyanlığın İznik konsili Yahudileri lanetlemiştir. Bakın burada bir karar yoktur; bir lanetleme vardır. Bu çok önemlidir. Dolayısıyla kararın veya konunun değiştirilmesi gibi, antisemit bir politikayı ve davranışı kaldırmak da mümkün değildir. Doğrudan doğruya bu lanetleme, bunun getirdiği hava zaman içinde uzar gider. Bunun ancak okuma, fikirlerin değişmesi gibi eylemlerle zaman içinde değiştirilebileceği açıktır. Nasıl değişiyor bu?

Hıristiyanlık dünyası, çok kanlı bedeller ödendikten sonra, milyonlarca Yahudinin fırınlanması gibi müthiş bir olaydan, II. Cihan Harbi'ndeki Nazizm olayından sonra ancak bu konuda toparlanmaya, daha toleranslı bir tutuma geçmeye, *Mea culpa*, yani kusurunu itiraf etme ve düzeltme sürecine girmiştir. Ama hepsi için de bu söz konusu değildir.

Dolayısıyla bu dünyanın azınlık sorunlarını, ötekine bakış yöntemini Doğu dünyasında görmemiz mümkün değildir. Çünkü Akdeniz dünyası çok eski zamanlardan beri muhtelif dillerin, muhtelif dinlerin, etnisitelerin bir arada yaşamak zorunda kaldığı bir dünyadır. Buradaki gerilimler doğrudan doğruya iki grup arasında geçmez. Daimi surette, bu dağınıklık ortasında her daim grupların kendi aralarında, kendilerine göre yarattıkları bir ortam, bir uzlaşma biçimi söz konusudur. Kaldı ki çok uzun zaman birlikte olma, şehirleri ve kırları birlikte paylaşma durumu vardır. Bu topraklarda biliyorsunuz şehirleşme çok eski bir olgudur. Mesela Mezopotamya ve Mısır'da tarım devrimi dediğimiz ekme-biçme devrine geçiş, Batı Avrupa'dan 4500 sene, nerdeyse 5000 sene evvel vukua gelmiştir. Dolayısıyla buradaki bu yerleşik kültüre geçme ve yazının kullanımı daha önce başlamıştır. Bir tarafta milattan önce 4000-5000'de yazı kullanılmaya başlıyor, öbür tarafta yazıyı Romalılar getiriyorlar. Ondan evvel doğru dürüst bir yazı yok. Kent medeniyeti Akdeniz'de çok eskidir. O yüzden bizim içine girdiğimiz Ortadoğu-Akdeniz medeniyeti çevresinde böyle bir birlikte yaşama, *öteki* dediğimiz unsurla bir arada olma olgusu söz konusudur. Ve tabiî ki bu öteki, sizinle bir kültürün, bir hayatın içinde var olmaktadır. Yazı, insanları yaklaştırır. Dil, öğrenimi kolaylaştırır. Sümerce çok uzun zaman bütün Mezopotomya'da konuşulan bir edebî dildi. Sonra Aramca öyle oldu, Ortaçağ'da da Arapça aynı işlevi gördü.

Bunu imparatorluğumuzun tarihinde görmek mümkündür. Size sadece küçük bir örnek vereyim. 19. yüzyılda ilahiyat idaremizde bir reform yapılmıştır. Denmiştir ki valinin yanında bir idare meclisi olacak. Bu idare meclisinde vilayetin hâkimi, başyargıcı, tahrirat müdürü, diğer müdürler, ziraat müdürü, umur-ı hariciye dediğimiz, oradaki konsolosluklarla ilişkiyi yürüten müdürün yanında defterdar, tabiî bir de ahaliden seçilmiş üyeler olacak. "O seçilenlerin ikisi müslim, ikisi gayrimüslim olacak" diyor. Fakat asıl önemlisi, "Ruhani reisler de bulunacak" diyor.

Şimdi Diyarbakır'a bakıyorsunuz, mesela bu dediklerinizin yanında Şafi müftüsü, Hanefi müftüsü, Süryani kadim, Süryani Katolik metropolitleri, Ermeni ve Ermeni Katolik ve Ermeni Protestan üç din grubunun ruhani lideri; hepsi bulunuyor. Adeta o vilayet idare meclisi tarihte görülmemiş bir ruhban şurası gibi bir şey. Ve bunlar birbirlerine benzeyen âdetlerle o şehrin surları içinde, şehrin dışında daha küçük şehirlerde, yerleşmelerde ve köylerde bir arada yaşıyorlar. Geçen asırda ve bu asrın başında mesela Mardin, Diyarbakır gibi bölgelerdeki köylere bakarsanız, bunu görürsünüz. Birtakım köyler karışık; öyle köy var ki Süryani kadim mezhepteki Hıristiyanlar ile Yezidiler dediğimiz grup aynı köyde yaşıyorlar.

Şimdi bunların arasında ne kadar gerilim olursa olsun, insanlar *öteki* ile bir arada yaşama alışkanlığını edinmişler; bu onların doğal bir yanı. Bunu bilmek gerekiyor. Tabiî bu kolay anlaşılmayan bir ol-

Ermeni Düğünü.

gu. Birtakım ülkeler bunu anlamıyorlar. Ötekinin nasıl olacağını bilmiyorlar ve derhal kötü bir benzetme yapıyorlar: Kendi Hıristiyanlarının yaşadıkları şehir ve bu şehrin içinde ayrılmış *getto* dediğimiz Musevilerin oturduğu bölümleri böyle tanımlıyorlar. Yani adam kavrama böyle bakıyor, çok yanlış.

Parantez içinde ilave edeyim; *getto* Venedik'te ortaya çıkmış bir kavramdır. Venedik şehrinin Baruthane mıntıkası, yani en tehlikeli ve pis mıntıkasında Yahudilerin yerleşmesinden dolayı bu adı taşır. Bu bölgenin sokakları surlarla çevrilidir; duvarlarla örülür. Sadece giriş-çıkış için bir iki kapısı vardır. Geceleri ahali buradan içeri girip gettosuna dönmek zorundadır. şehrin içinde kalamazlar. Strasbourg gibi şehirlerde mesela şehirleri terk ederler; onların yerleri şehrin dışındadır. Ve gece çanlarına da *"Judenglocke"*, Yahudi çanı denir; son çan. Yani o duyulduğu zaman Yahudilerin artık şehri, Hıristiyanların yaşadığı bölgeyi, gündüz iş yapmak için geldikleri yerleri terk etmiş olmaları gerekir. Getto orada kalır. Böyle bir yapılanma bizde yoktur.

Tabiî ki Osmanlı şehirlerine de baktığınız zaman insanların kendi dinlerine göre mahalleler seçtiğini görürsünüz. Bu çok anlaşılır bir şeydir. İstisnası azdır bunun. Yani Müslüman mahallesinde Ermeni; Ermenilerin istif olduğu bir yerde bir Rum, hatta bir Müslüman olabilir.

Genelde insanlar kendi dillerini konuşacakları, kendi dinlerini birlikte ifa edecekleri mahalleri seçerler. Bu genel bir eğilimdir. Kimse bundan dolayı gocunmaz, çünkü hiç kimse kendi kızının, oğlunun daha evvel de söylediğimiz gibi başka mezhepten, dinden insanlarla evlenmesini, görüşmesini istemez, dolayısıyla buralarda temas sınırlıdır. Bu bir kültürel temastır. Bilhassa 19. ve 20. yüzyılda komşuluk bağları, tanışıklık bağları gittikçe artmıştır. Çünkü insanlar okul dediğimiz en önemli müesseseye bir anda kavuşmuşlardır.

Osmanlı eğitim reformları laik reformlardır. Yeni kurulan okullar, medresenin, Müslüman cemaatinin, Rum kilisesinin, Yahudi cemaatinin, din gruplarının kontrolü dışındaki eğitim kurumlarıdır. Burada her dinden çocuklar bir arada büyümüşlerdir. Mesela bu, dinî ayrılıkları kıran değişmelerden birisidir. Çünkü insanlar çocukluk, gençlik arkadaşlıklarını hiçbir zaman terk etmezler ve hayatın her safhasında bu birliktelik devam eder.

Zamanla modern semtler kurulmuştur. Orada parası olan herkes oturmuştur ve bu gelişme yavaş yavaş devam etmiştir. Türkiye'nin zenginleşmeye, şehirlerin büyümeye başladığı 60'lardan itibaren de gittikçe artmaktadır. Bugün ülkemizde artık böyle azınlık mahallesi yok, falan etnik grubun oturduğu sokak ve semt, onların kendi içinde kapanıp yaşaması gibi bir durum söz konusu değildir; olamaz da. Sanayiye bakın, ticarete bakın, iş hayatına bakın, akademik hayata bakın; her yerde her zümreden insanı bir arada görüyorsunuz. Bu anlamda artık ötekilik mevhumu bizim hayatımızdan silinmektedir.

Geçmiş asırlarda *ötekilik* çok ilginçti. Öteki diye bakarlar birbirlerine, ama bir yaşam kültürünü benimserler, mutfağa kadar aynı kültürü benimserler. Farklılıklar olmasına rağmen, çok benzer yemekleri vardır. Yaşayışları birbirine benzer, mesela ilk baktığında Ermeni ile Müslümanı ayırt edemezsin.

Kıyafet nizamnamesiyle ayrı kıyafet giymeye tabi tutulsalar da gruplarca buna pek uyulmaz ve çok ihlal edilirdi, fakat hayata bakışları aynıdır. Yani Ermeni ailesi de pederşahidir. Ermeni ailesinde de kaçgöç vardır. Herkesin ırz ve namus anlayışı birbirine benzer. Şurası bir gerçektir. Osmanlı Yahudisi'nin Osmanlı Müslümanı'na benzeşme oranı ve miktarı herhalde onun Amsterdam'daki, İngiltere'deki, Belçika'daki, Avusturya'daki Yahudilerle birlikteliğinden, benzeşmişliğinden çok daha fazladır. Giderayak birtakım başka gruplar için de bu böyledir. Günümüzdeki globalleşmeden, benzeşmeden bahsediyoruz. Gene aynı durum söz konusudur. Bunun üzerinde ısrarla durmak gerekiyor.

Nedir Osmanlı için öteki?

Öteki, Osmanlı devlet nizamımızda adı konmuş bir sistemi ifade eder. Yani *millet.* Bir milletin mensubu olmak için kıstas konuşulan dil değil, dindir. Yani Ermeni Ermenice konuşur. Ama bağlı olduğu kilise itibariyle Ortodoks Gregoryen *Ermeni milleti* denir. Onlar kiliseye bağlıdır, inananlardır. Katolik dendiği zaman Ermeni Katolikleri anlaşılır. Bu Katolikler geçen asırlardaki diğer Katolikler gibi Latince kullanmazlar. İbadetlerde Ermenice kullanırlar. Dinî liderlerini, rahiplerini kendileri seçer. Roma onları usulen tasdik eder. Fakat bunlar Katoliktir tabiî ve şunu belirtmekte yarar var; bu Katolik grup öbürüyle hiç temasa geçmez. Yaşam biçimlerinde, kültürlerinde yani kısacası hayat tarzlarında bile bu yüzden zamanla ayrılık baş göstermiştir. *Protestan milleti* denir gene; 19. yüzyılda ortaya çıkan Ermeni Protestanlardan söz edilmektedir.

Galata Mahallesi.

Rum milleti dediğiniz zaman da Romalı demektir; bilmekteyiz ki Bizans'tan beri devam eden Rum Patrikhanesi'ne, kilisesine bağlı gruplar sırf Hellenler değil, Arnavutlar, Bulgarlar, Makedonlar ve hatta bazı Araplar. Bugün bunlar Kudüs Rum Patrikhanesi'ne tabi olarak, Rum-Ortodoks olarak Ürdün'de, Filistin'de, kısmen de Suriye'de yaşıyorlar. Demek ki burada geniş bir din yelpazesi söz konusudur. Tıpkı Müslüman milleti, İslam dediğimiz zaman Türküyle, Müslüman olmuş Bulgar-Pomak, Boşnak, Arnavut, Kürt, Çerkez hepsi bir arada. Tabiî önemle tebarüz ettirmeliyiz. Osmanlı İmparatorluğu'nda Müslümanlık çoklukla Türklükle, Türk kültürüyle bağdaşır. Bu Müslüman milletler için, gruplar için Türkçe bir *lingua franca,* yani anlaşma vesilesidir. Ve her biri Türkçe öğrenmeyi bir marifet sayar. Ama dikkat edin, Türkçe biliyorlardı demiyorum. Hele o asrın Bosna'sında, o engebeli arazide Türkçe bilen Boşnak çok az bulursun. Arnavutluk'ta keza... Uzak Arabistan kıtasında Suriye'de, Bağdat'ta, Musul'da Müslümanların Türkçe konuşmasını bekleyemezsiniz, ama Türkçe orada da Arapça yanında bir *lingua franca* idi.

Bir konuyu tebarüz ettireyim. Ben 60'lı yıllarda genç bir insan olarak Suriye'ye, Lübnan'a çok gittim. O yıllarda da Türkçe ile her yerde anlaşmanız mümkündü. İmparatorluğun yıkılışından sonra kaç yıl, kaç zaman geçmiş. Türkçe hiçbir mektepte okutulamaz hale gelmiş, hiçbir yerde yazılamaz hale gelmiş. Buna rağmen hâlâ biliniyor... Aynı şekilde Rum Patrikhanesi'ne bağlı Hıristiyanlar arasında da Hellenizm ve Hellen dili, yani böyle bir çimento *lingua franca,* ortak dil rolünü oynardı. Hatta bu milletlerin Rumca öğrenmeleri bir imtiyazdı. Mesela imkânı olan Rum okuluna giderdi. Yunanca öğrenir ve zamanla kendi Bulgar kimliğini de unuturdu. 19. yüzyılda Bulgar milliyetçiliği ortaya çıktığı zaman eğitimi götüren adamlardan birisi olan Aprilof da öyleydi. Ve derhal bu milli, ulusal kimlik ortaya çıkınca Bulgarlarla İstanbul'da Fener'deki Rum Patrikhanesi arasında şiddetli bir çatışma meydana geldi. Hatta Filibe olayları dediğimiz Filibe'deki Rum metropolitin öldürülmesiyle bu olaylar büyüdü ve kanlı safhaya bile geçti.

Hiç şüphesiz ki bu renkli imparatorluğun içinde bir de Yahudi milleti vardır. Yahudi dinine bağlı "Ben-i İsrail", İsrailoğulları bir yerden geldiklerine inanıyorlar. Bir vatanın çocukları olduklarına inanıyorlar. Bu kaçınılmaz. Ama sarışını da, esmeri de, hatta çikolata derilisi de aynı inancın, aynı kavmin içinde. Ama imparatorlukta bunda bir din birliği aramayınız. 15. yüzyılın sonunda başlayan göçler dolayısıyla Judeo-Espanyol veya Ladino dediğimiz Kastilya şivesi, yani İspanya'nın önemli eski lehçesinin üstüne ilave edilen İbranca, Türkçe, Rumca, Ermenice lügatle bir hoş lisan ortaya çıkmıştır. Bu çok yaygın idi ve İstanbul'da, İzmir'de ve Rumeli şehirlerinde olduğu gibi, Selanik gibi Yahudi nüfusun en kalabalık olduğu şehirde –ki bütün dünyanın büyük Yahudi metropolitiydi– burada da bu dil duyulurdu. Ama Mezopotamya'ya gittiğimiz zaman Museviler Arapça konuşur, Kürtçe konuşur ve daha ilginci Aramca dediğimiz bugünkü Süryani kilisesinin dili konuşulur. Eğer bu üç dil Yahudilerin dağarcığından silinmişse 1948'den itibaren, Yahudi devletinin, İsrail'in ilanından itibaren yoğun göç dolayısıyla silinmiştir; onu unutmamak gerekiyor. Burada muhtelif grupların, aynı dinin çatısı altında toplanması söz konusuydu. Daha da ilginç bir konuya değinelim; Türkçe konuşan Hıristiyanlar vardı. Karaman dediğimiz yani eski Karaman Beyliği sınırları bugünkü Konya vilayeti, artı Toroslar kesimleri Niğde, Aksaray vilayetimizin dahil olduğu, ta Kayseri'ye kadar uzanan Ürgüp'ü içeren coğrafyayı göz önüne getiriniz, buralarda yaşarlardı ve Rum-Ortodoks milletinden, ama halis Türkçe konuşan Türklerdi.

Burada Türkçe konuşan ama bildiğimiz Anadolu Türkçesini "kaf"ları "gaf" diye telaffuz eden, konuşan bir grup vardı. Tabiî her Rum inancında olan Türkçe konuşuyor değil. Mesela Ürgüp'tekiler Türkçe konuşur; onun yanı başında bugün Mustafa Paşa dediğimiz Sinasos'ta Helence konuşurlar. Bu çok enteresan bir şey; bunun bilinmesi lazım. Şimdi bu grup İstanbul'a göç ettiği zaman Rumca fa-lan bilmiyor, duyuyor. "Sabahlar hayır olsun" yerine bizde onlar gibi diyelim diyor; "sabahın kalimera" diyor. Maalesef bu geniş zümre tamamıyla dinî aidiyetinden dolayı Hellen unsur gibi mütalaa edilmiş. Ve 1920'lerde mübadeleyle birlikte yurtdışına, Yunanistan'a gönderilmiştir. Bunu biz yakın tarihimizin siyasi-kültürel yanlışlarından biri olarak görüyoruz. Çünkü bu gidenlerin Yunanistan'da mutsuz oldukları çok açık bir şeydir.

Kısacası *millet* geçmiş asırlarda ötekiyi ifade eden bir içtimai teşkilatlanmaydı. Bunu Avrupa'daki azınlıklarla mukayese edemeyiz ve bu tip bir azınlık kültürünü ve hukukunu da bu tarafa yansıtmanız mümkün değildir.

OSMANLI DÖNEMİNDE AHİLİK

Esnaf tarihi ve hâlihazırdaki durum bizim önemli konularımızdan biridir. Çok da tartışılmış değildir. Osmanlı İmparatorluğu'nda esnaflık en az tartışılan konulardandır ve bu tartışmalar da daha ziyade kendini tekrarlıyor. Bizim cemiyetimizin insanları bunu çok yaparlar. Mesela Orta Asya'daki parti üyeleri "Komünizmin esası İslam'da var" derlerdi, yani Karl Marx'tan önce Müslümanlar su kullanımı işini çözümlemiş demek isterlerdi veya şimdi çok söyleniyor: "Asıl kadın-erkek eşitliği Müslümanlıkta var." Çünkü kadın-erkek eşitliği gibi bir mefhumu, yani feminizm gibi bir akım ve dalgayı gözden kaçırmayacak, bir yandan da Müslümanlığı da elden bırakmayacak bir yorum yapılıyor. Buna biz son derece tehlikeli bir yorum çeşidi diyoruz.

Eğer insanlar her devrin yani kendi gününün ihtiyacına ve problemine göre yeni baştan din yorumlamaya ve vaaz etmeye kalksaydı, iş karman-çorman olurdu. Çünkü dinin ve vahyin esası bütün zamanları ve mekânları kapsayan bir mesaj olmasındadır, tebliğ getirmesindedir, tebliğe vesile olmasındadır. Sonra mesela oturuyorlar, "Ahilikte sınıf çatışması var mı?" diyorlar. Yeni bir mefhum, yeni bir problem. Batı'dan gelme bir sorunsal buraya aksediyor. Sen onu Ahilikte ne diye mezcediyorsun ve bir problem olarak ortaya koyuyorsun? Sonra diyor ki: "Baktım, tetkik ettim Ahiliği" diyor, hâlbuki doğru dürüst bir ansiklopedi maddesi bile okumamıştır. "Sosyal sigortalar orada da var" diyor. Sosyal sigorta çünkü yeni bir kavram. Geçen asırda ortaya çıkmış; işçi sınıfı çalışıp çabaladıktan sonra ihtiyarlayınca sokakta kalıyor. Mesela Polonyalı rejisör Andrzej Wajda'nın *Vaatler Ülkesi* (*Ziemia Obiecana*) filminde görürsünüz, bir ihtiyar patronun peşinden koşuyor ve "Ne olur beni işten çıkarma" diyor. Çünkü adam artık ihtiyarlamış, atıyorlar, atılınca da bitti.

Batı toplumunun şartları içinde adama kimse de bakmaz, ne çocukları bakar ne mahallesi bakar; hele şehirde o acından dilenir. Bunları önlemek için ortaya konmuş bir şeydir emeklilik sigortası. Yani Batı'daki toplumun zayıf olan aile, kabile ve sülale bağları içerisinde yeni çıkan bir işçi sınıfının mağduriyetini, yaşama hakkını sağlamak için konmuş yeni bir müessese. Bunun Ahilikle alakasını kurmak zoraki bir uzantıdır. Burada kimse ihtiyarladı, işe yaramaz diye sokağa atılmaz. Çünkü kendi sülalesi, ailesi bakar; bakılmazsa ayıplanır, adamlar kınanır, kısacası orada birincil grup mekanizmaları işler. Binaenaleyh insanlar tarih bilmeden yorumlar yapıyorlar, bunlar çok tehlikelidir. Onun için ben de bu Esnaf Tarihi toplantısına katılmak istemedim; fakat bir iki dostumun ısrarıyla katıldım. Çünkü işin esasını isterseniz; insanların tarih okumadan, günün şartları ve günün polemiklerine cevab mahiyetinde kendilerine göre bir Ahilik tanımı yapmalarından son derece müştekiyim. Bunu ilmî bulmuyorum ve tehlikeli de buluyorum ayrıca. Bazıları mesela "Şimdi gördüm, sermaye ve emek Ahilikte bir arada" diyor. Böyle bir şey yok. Bugünkü sermayeyle bugünkü emek, bir başka türlü ortaya çıkmış. Bunun Ahilikle çaresi bulunmaz. Çünkü ahilerin zamanında böyle bir mekanizması yok. Beş yüz kişiyi çalıştıran bir fabrika yok. Onun için bu gibi sloganları getirip bağdaştırmanın da bir manası yok ve Ahilik Mussolini tipi bir sendikacılık demek değil. Bunların hepsi gayet indî yorumlardır.

Şimdi *Ahi* sözü nereden ileri geliyor?

İlk defa Sühreverdi'nin *Risaletü'l-Fütüvve*'sinde geçiyor ve orada *fetâ (fityan)* kelimesinin karşısına *ahi* kelimesi konmuş, ahi buradan geliyor. Risale böyle Arapça başlıyor ama tabiî Farsça devam ediyor. Zaten Farsça kaleme alınmıştır. *Jean Deny* 1920'lerin, 30'ların Türkologlarından. Türk grameri yazan Polonya asıllı Fransız Türkolog âlim; bunun *akı* diye Türkçe bir kelimeden ileri geldiğini iddia ediyor ve bu tartışma devam ediyor.

Ahi, Arapçası itibariyle ihvan, kardeşim demektir, kardeşlik demektir. Buna Batı dillerinde *fraternite* de derler. Meslek birlikleri, meslek loncaları, meslek dayanışması evrensel bir olaydır. Medeni her toplumda evrensel bir olaydır. Dolayısıyla Ahi tipindeki bir birlik sadece bize has değildir. Medeni âleme has bir birliktir. Tabiî bunun bizim kendimize göre renkleri vardır; âdetleri, teşrifatı vardır; kendimize göre dinî, mistik bir karakteri vardır. Biz onu bilmek, öğrenmek ve de tatbik etmek zorundayız. Bugün de, bu konulardan bazı şeyleri belki yakalamak mecburiyetindeyiz.

Unutmayın ki Türkiye'de bugünkü esnaf birliklerinin Ahilikle alakası yoktur. Bu çok açık bir şeydir. Bunlar hiçbir şekilde meslek dayanışma birlikleri değildir. Meslektaşlarının kötü halleriyle ilgilenmezler, iyi halleriyle de ilgilenmezler. Meslektaşlarının ahlaksızlığıyla da ilgilenmezler. Mesela adamın birisi kötü iş çıkarır, ama meslektaşını çok alakadar etmez; niye etmez, şahsen anlamış değilim. Mesela, marangoz birliğinin içinde çürük iş yapan bir adamın ahvali niçin öbürlerini alâkadar etmiyor? Bu çok olumsuz ama ilginç bir durumdur.

Şekerci.

Kapitalist cemiyet dediğimiz, sanayi cemiyeti dediğimiz yerde, esnaf birlikleri içinde, meslek birlikleri içinde meslek ahlakı ve teknik ahlakın niçin acaba öbürleriyle ilgisi yoktur, meçhul. Bu, Türkiye'ye has bir durum. Yani Türk toplumunda herkes her istediğini yapar; mesela adam yanlış yere araba park eder, apartmanın girişini kapatır, arabasıyla kimse ilgilenmez. Bu sorumluluğun olmadığı bir toplumda böyle kendi başımıza Ahi ananeleri çizmeyelim.

Sosyalizmin Ahilikle bir alakası yok; ama belirli bir disiplinin varlığını açıklamak lazım. Şimdi bu mesele ilmî bakımdan çok önemlidir; çünkü Batı'daki mevcut teoriler, Ortaçağ'da İslam dünyasında *fütüvvet* ve *lonca* dediğimiz meslek birlikleri, loncaları yoktur diyorlar. Bunun yoktur denmesi, işte bunlar damsız yerde oturur gibi bir laftır. Yaşamayı bilmezler, temizlenmeyi bilmezler gibi bir hükümdür aslında. Mesela, Kahire'de, Mısır'da Memluklar devrinde, Fatımiler devrinde esnaf loncalarının olmadığını ileri sürüyorlar. *Ira Lapidus* diye Amerikalı bir tarihçi, bir uzman böyle diyor ve bu görüş kabul görüyor. Hâlbuki buralarda meslek birlikleri var. İşte bu *fütüvvet* dediğimiz kardeşlikler, meslek kardeşlikleri var. Bunlar iyi tetkik edilmediği ve literatüre inilmediği için bunlara kimse bir şey söyleyemiyor veya yüzeyden bakıyor. Tabi bizde Ahilikle uğraşanlara metodik olarak dikkat ediyorum, çoğu hiçbir şekilde bu işin tarihini bilmiyorlar.

Normal olarak esnafla uğraşan bir adamın, yöntem icabı bakması lazım; İngiltere'de bu iş nasıl, Almanya'da bu iş nasıl, Ortaçağ'da bu iş nasıl, Roma devrinde bu iş nasıl, Yunan devrinde bu iş nasıl? Hep araştırıp, soruşturup bakması lazım ki mukayeseli olarak bir fikre varabilsin. Bu yapılmamış bizim tarihçiliğimizde. Bunu yapmaya birazcık gayret eden bir adam rahmetli Osman Nuri Ergin'dir. *Mecelle-i Umur-ı Belediye*'de bir konuyu ele aldığı zaman, şehir idaresi ne şekilde, nasıl olmuş diye Avrupa tarihine bakmak ihtiyacını hissetmiştir. Mukayese yapmadığınız takdirde bir medeniyetin, bir müessesenin nasıl var olduğunu, onun boyutlarını veya var olup olmadığını karara bağlayamazsınız.

O bakımdan Roma İmparatorluğu'nda mesela loncalar halinde teşkilatlanan *collegium* adlı verilen gruplar var ve *Eparh*'ın (Eparh, İstanbul şehrini yöneten memurdur, hem yargıç hem de belediye reisidir, tıpkı bizim İstanbul kadısı gibi) şehir esnafını kaydettiği, *"tetra eparhion"* dedikleri defteri var. Orada Bizans loncalarını, meslek birliklerini görebilirsiniz.

Bizde de böyle esnaf listeleri nerede bulunur? Mesela 17. asrın meşhur yazarı, seyyahı Evliya Çelebi'nin İstanbul cildinde bulunur. Ondan sonra tabiî ki siciller de devamlı bunlara atıfta bulunur; çünkü işlemler, fiyat vermeler oraya kaydediliyor ve bunun gibi birtakım başka kitaplarda bulunur. Ayrıca Selçuki devrinden beri de bu konularda bizlere bilgi veren birtakım eserler vardır. Selçuki Türkiye'sindeki loncalardan, meslek birliklerinden bahseden kitaplar hangisidir? İbni Bibi'nin *Selçukname*'si yahut *El-Evâmirü'l-'Alâ'iyye fî'l-Umûri'l-'Alâ'iyye*, Alâaddin devrine ait meşhur kitabıdır ki Adnan Sadık Erzi ve Necati Lügal bunu çevirmeye başladı ve tıpkıbasım neşrini yaptılar. Çevirisi bitmedi, Almanca çevirisi vardır, bizim eserlerin böyle talihsizliği var. İbni Bibi kendisi Sultan Alâaddin-i Keykubat'ın yeğenidir, İbni Bibi hâlâ halasının oğlunun ismini taşıyor. Padişah sülalesine, Sultan sülalesine ihtisab için bu unvanı kullanıyor. Bunlar mesela büyük inceliklerdir.

Sonra Aksarayî'nin *Müsameretü'l-Ahbar* adlı eseri de tam anlamıyla çevrilip yayınlanamamıştır. Burada bunlar Selçuki devri loncaları hakkında bize bir fikir verir. Bu eserlere istinaden yazılan monografiler vardır. Bunlardan bir tanesi en son Erdoğan Merçil'in *Selçuklu Türkiye'sinde Meslekler* adlı Türk Tarih Kurumu'ndaki yayınıdır, buna bakılabilir.

Şimdi bilhassa Sühreverdî'de baktığımız zaman Ahilik denen meselenin ne olduğunu görüyoruz. "Kuvveti olan adam ancak bu işi yapabilir" diyor. Bu ilginç, yani fraternitelerde meslek sahibi, sıhhatli, kuvvetli ve zeki olacaksınız, serseri olamazsınız. Bir kabiliyetiniz olacak çünkü vardır böyle serseri toplayan meslekler onu sayalım; bileği kuvvetli insanlar bir araya gelirler, birtakım çeteler meydana getirirler, bunlar iyi şeyler de yapar, yani mümkündür, Allah yoluna da çarpışabilirler; kötü şeyler de yapabilirler, bizim tarihimizde de vardır bu.

Burada meslek sahibi olacaksınız, kuvvetli olacaksınız, savaşçı olacaksınız. Bunlar hakikaten bir dönem şehirleri yönetmişlerdir. Mesela Ankara şehrini Timur istilasından kurtaranlar bunlardır. Timur biliyorsunuz şehrin civarındaydı; ama şehrin içine giremedi. Timur İzmir'i fethetti, yani İzmir o dönemden itibaren de bir daha Bizanslılar'ın eline düşmedi. Türklere kaldı ve bunlar sırf Ankara'da değil birçok yerde varlar.

Mesela İbni Battuta'nın seyahatnamesinde ki buradan Kırım'a, doğudan batıya Türkiye'yi gezmiş, orada görüyorsunuz. Mesela Ladik'den bahsediyor. Ladik neresi? Bir sürü Ladik var. Yunanca Ladik, *laidikeya* diye telaffuz edilir ve Anadolu'da Konya'da Ladik vardır, Denizli'de Ladik var. Bir de Samsun'da. Ne var ki doğrusu "Ladik" değil, "Laadik"tir. Samsun'daki en yakın telaffuz edilenidir. "Laidikeya" olduğu için *laadik* diyorlar.

Mamafih İbni Battuta Denizli Ladik'ine gelmiş ve orada anlatıyor bunları, mesela iki adam var. Ahi reislerini "Sinan" ile "Tuman" diye veriyor. Tuman dediği "T" ile yazıyor ama belli ki, "Ahi Tuman'la Ahi Sinan" iki takım olmuşlar ve aralarında bir gerilim var; hem sevabından hem meraktan olsa gerek İbni Battuta'yı kim misafir edecek diye. Bir de getireceği malumattan Arabistan'ı anlatacak, o gece eğlence olacak, ama anlaşamıyorlar. "Hatta birbirlerine bıçak çektiler" diyor İbni Battuta. Nihayet çözüm olarak kura çekilir ve kafile önce Ahi Sinan zaviyesinde misafir edilir. Daha sonra misafir ağırlama sırası Ahi Tuman'ın arkadaşlarına gelir.

Kapalıçarşı'da bir kaymakçı dükkânı.

Ahiler şehrin idaresine kesinlikle hâkimler, yani Ahi reisleri olmadan, Ahi şeyhleri olmadan hemen hemen hiçbir konuda karar verilemiyor. Osmanlı devrinde böyle bir şey yok artık ve bunun olmaması da müsbet; çünkü bu tarzda bir otorite parçalanması hoş karşılanmaz.

Avrupa şehirlerinde birtakım gruplar var ve bu gruplar arasındaki uzlaşmadan dolayı demokrasi oluyor, şehirlerde demokrasi inkişaf ediyor, deniyor. Bu lonca teorisidir. Yani şehirlerde esnaf loncaları bir araya geliyor ve bunların arasındaki uyum ve karar mekanizması dolayısıyla şehirlerde demokrasi gelişiyor. Böyle bir tarif var; bu tabiî yüzde yüz doğru aktarılmış bir şey değil ve bizde böyle olmadığı için de bizde demokrasi yok deniyor. Bu bir görüştür, bize has bir görüş değildir; fakat bu görüşe çok sahip çıkan bazı Türkler bilhassa 20. yüzyıl başından itibaren tarihçiliğimizde bunu aramışlardır. Ahiler arasında böyle bir demokrasi var demişler. Demin arz ettiğim gibi bunların hepsi gündelik problemlerle yapılan yaklaşımlardır. Böyle bir tarihçiliğin gerçeği açıklamaya hiçbir faydası yoktur.

O bin kişilik, iki bin kişilik en çok beş bin kişilik fakir orta zaman şehirlerinde bir tarafta kilise bir tarafta zaten iktidarı pek zayıf olan hükümdar arasındaki çatışmadan istifade ile, birtakım esnafın ve tüccarın ucundan idareye karışmasıyla oluşan bir mahalli demokrasi var. Bu tür bir fukara anarşizmini Ortadoğu'nun şehirlerinde aramak beyhudedir. Bazı gelişmeleri, şartları içinde değerlendirmek gerekiyor, onun için de kalkıp böyle bir demokratik model gereğini burada aramak taklittir.

Mesela böyle yaklaşım çok yapılır; Grekov diye bir Rusya tarihçisi vardı. Stalin devrinin favori adamıydı, yani Stalin'in baş tarihçisiydi. Kitapları özetler halinde yabancı dillere de çevrilirdi. Yani devletin ve tarihin propagandası açısından önemlidir; Moğolların istilasından evvel, Altınordu'dan evvel Rusya şehirlerinde şu kadar sayıda zanaat vardı falan gibi görüşler... Bunlar şişirmedir... Bu tabiî zaman ve modele uygun bir tarih yaratma çabasıdır. Onun için ne yazık ki Türkiye'de de 20. yüzyılda belirgin çevreler böyle modeller aramaktadırlar; yani Batı tipi bir demokrasinin nüvesinin bizde bulunduğu, Ahilik gibi teşkilatların bunu yansıttığı gibi görüşler, bir kısmı buna böyle bakıyor, bir kısmı işte gerçek anlamda İslam Cumhuriyeti ve sosyalizm de budur diyor. Efsaneyi bırakalım. Ahilik Türk halkının geleneğindeki askerî örgütlenmedir. Anarşi döneminde yok olan otoritenin yerine bir başkasını yaratarak, bu boşluğu doldururlar. Osmanlı'nın, Selçuki Sünni din otoritesinin merkeziyetçiliğine karşı, halk tipi daha liberal bir İslam'ın dini örgütlenişi diye bakanlar var. İtiraf etmek gerekir ki bunların çok geçerliliği yoktur ve bunlar ciddi uzun tetkiklere dayanmaz; hepsi aşağı yukarı 20. yüzyılın başlarında kesilen bazı araştırmaları tekrarlar ve kendilerine göre yenilerler. Bunlarla hiçbir şey anlayamayız. Böyle yaklaşımlarla çizilen bir Ahilikten de modern Türk cemiyetinin alacağı fazla bir miras yoktur; çünkü bunlar çok iddialı yaklaşımlardır. Ama bazı şeylerin ucunu yakalayabiliriz ve o yakaladığımız uçla da bazı şeyler yapabiliriz.

Ahilik için bizim elimizde kullandığımız bir diğer kaynak da *İbni Battuta Seyahatnamesi*'dir. Bu kitap Fransızca bir başlıkla fakat tamamen Arapça olarak hem de 1932 yılında merhum Muallim Cevdet tarafından yayımlanmıştır. Başlığını da ben size vereyim, çok enteresan: *Zanaatkâr Ocaklarının Eğitimi*. Bu, *İbni Battuta Seyahatnamesi*'nden büyük alıntılar yaparak Arapça kaleme alınmıştır. Arapçası çok naiftir; hatta bunu Bağdatlı bir Türk öğrencime, Serap Vahit Muhammed'e incelettim, o da çok güldü. Çünkü böyle bir Türk Arapçasıdır. Hani Türk İngilizcesi konuşanlar var ya, böyle bir Türk Arapçası. 1932'de niçin böyle yaptı Muallim Cevdet, onu bilmiyorum. Her halükârda bu eserin içinden alıntıların Türkçesi, İsmet Parmaksızoğlu tarafından *İbni Battuta'dan Seçmeler* diye yayımlanmıştır; fakat Ahiler üzerinde ta Selçuki hatta Abbasi devrine kadar giden tetkikat, metinleri derleyen Franz Taeschner tarafından yapılmıştır ve Almanca çıkmıştır. *İslam'da Loncalar ve Kardeş Birlikleri* adlı eser gayet kalındır ve şunu ifade edeyim bu tip bir metin derlemesi ve bu tip bir çalışma Türkiye'de hiç kimse tarafından yapılmamıştır. Bu çok önemli bir şeydir; bir ideolojiden, bir tarihten bahsetmek için önce metinleri tesbit edeceksiniz, tarihî materyali toplayacaksınız, bilgi edineceksiniz sonra yorum yapabilirsiniz.

Bunların dışında Türkiye'de ve Türk dünyasında bugün Türkoloji'de loncalar üzerine ciddi bir eser yok; Muallim Cevdet'in birinci cildinde bahsettiği yapılanmada aşağı yukarı bu kitaplara dayanmaktadır. Nadiren bazı sicillerden edinilen bilgiler burada yer almaktadır. Onun için gördüğünüz gibi ilmî bakımdan tetkik edilmemiş bir saha üzerinde bir konuşma yapılmaktadır ki, bunun sakıncaları ortadadır. Her lonca gibi Ahiler de birtakım meslek birliklerine dayanır ve Ahilik, Burgazi'nin *Fütüvvetnamesi*'nde belirtildiği gibi Selman-ı Farisi'ye ve ondan Hz. Ali yoluyla Müslümanlara devredilmiş sayılır, bu kadardır. Hz. Ali ile ilgisi budur ve çok açık bir şekilde bu belirtilir.

Evvela Allahü Teala, bilahare peygamberimiz ve ondan sonra Hz. Ali'nin oradan aldıklarıyla bize nakledilmiştir. Tabiî terzilerin piri Hz. İdris Aleyhisselam'dır. Demircilerin piri kimdir, Hz. Davut Aleyhisselam. Marangozların ki kimdir, hem Hz. Nuh, hem de Hz. İsa Aleyhisselam da olabilir, ama Hıristiyanlar bunu kabul etmezler çünkü estağfurullah Hz. İsa'yı bir peygamber olarak değil daha farklı bir şekilde telakki ediyorlar o bakımdan ama bazen peygamberler bile denk düşüyor. Yani bu o kadar büyük bir tradisyondur, pirler bile denk düşmektedir. Nitekim Hz. Nuh'un gemicilerin piri olduğu herkesin üstünde birleştiği bir şeydir. Bunlar bilinen şeylerdir ve Floransa'da *Orsammichele* denen muhteşem, çok güzel kilisede bu benzer tasvirleri görüyorsunuz.

Şimdi bu *fraternite* (kardeşlik) yahut meslek örgütü bir toplumdaki en büyük ahengi sağlayan unsurdur. Evvela bir kere insanlar bir araya gelir, belirli bir kontrol altına girerler. Ortaçağ'ın ekonomik şartları, bunların çalıştıracakları adam sayısı, üretecekleri malın miktarını sınırlar; çünkü fazla mal üretimi rekabet ve yıkım getirir. Rekabet istenmez; yani ne fazla mal üretilip ortada çürüsün, ziyan olsun, sanatkâr sıkıntı çeksin, ne de az üretilip millet sıkıntı çeksin, kıtlık çeksin istenmez. Bu malların fiyatları bellidir. Böyle ucuz ve çürük şeyleri bol bol üretemezsin, zanaatın ilkelerine sadık kalacaksın ve lonca o bakımdan bir toplumda dengeyi sağlayan unsurdur.

Nedret yani kıtlık dediğimiz şey, ki bu bütün dünyada halen kalkmış değildir, kalkacağı da yoktur, insanlar zaman zaman böyle budalalıklara tutulurlar biliyorsunuz bu modern çağların hastalığıdır. Bu mesela Birinci Harb-i Umumi'den evvel artık sulh olacağı, artık ilimin insan hayatına hâkim olacağı gibi birtakım hayallerle ordular harbe gittiler. Şimdi de 1960'larda kıtlığın ortadan kalkacağı, uyum sağlanacağı, eşitliğin geleceği gibi hayallere inanılırken kıtlık ortadan kalkmadı, daha beter hale geldi...

İSTANBUL MAHALLE VE MEZARLIKLARI

İstanbul ve diğer Osmanlı şehirlerindeki mahalle çok ilginç bir ünitedir. Mahalle bir kere görünüm olarak çok ilginç bir yerleşim noktası ve hayatı da kuşatan bir müessesedir. Tarihçi olmam hasebiyle mahalleden bahsederken, birtakım vesikalara dayanarak sadece fiziki bir mekânın çizimini, bir yurttaş topluluğunu anlatıyor değilim.

Bizim neslimiz yani 50 yaş civarı insanlar, büyük ölçüde şehirdeki mahalleyi görmüş, ne olduğunu yaşamışlardır ve bu bizim hayatımızdan kaybolup giden bir kurumdur. Tabiî ki büyük şehirde bu eski tip mahallenin ilelebet yaşaması mümkün değildir; ama biz öyle zannediyorum ki, hoyrat şehirleşmemiz dolayısıyla da bu gibi facialara çanak tuttuk. İstanbul'un, klasik İstanbullu diyebileceğimiz İstanbul kültürünü besleyen mahalleleri genelde bu şehrin Sultanahmet, Vezneciler, Süleymaniye, Zeyrek, Fatih Çarşambası, Edirnekapı'ya kadar olan ucu ve oradan biraz Balat'a, Fener'e inen kısım ve tabiî ki Marmara tarafında da sur boyu sürüp giden kesimindeydi.

Eyüp'te bir sokak.

Klasik dönemde mahallelerde birkaç asır önce ve geçen asırda insanlar, ekonomik durumlarına göre değil kendi ait oldukları içtimai sektöre göre otururlardı; yani saygın şehrin orta mahallelerinde hiç gayrimüslim yoktu. Bazen birkaç ev olabilir; ama kural olarak Fatih'te, Çarşamba'da, Zeyrek'te gayrimüslim aile bulamazsınız. Fener'de, Balat'ta, Samatya'da hiç mi Müslüman olamaz? Olabilir; ama kural olarak Balat'ta imparatorluğun Yahudi cemaati otururdu, karşıdaki Hasköy'de de öyleydi. Fener'de daha çok Rum-Ortodoks mezhepteki insanlar otururdu.

Şehrin bu tarafında, Marmara kıyısında da gene öyleydi ve baktığınız zaman buralarda elbette ki din farkından ileri gelen bazı kültürel farklılıklar görülebilirdi; ama esas itibariyle İstanbul halkı kendine göre kaçgöçü olan, hepsi kendine özgü bir mutfağın belki değişik biçimleriyle geçinen, âdetleri birbirine benzeyen bir zümreydi.

Bugün mahallenin kaybolan tarafı şudur: Mahalle halkı birbirini tanırdı, hem de çok iyi tanırdı. Mahalleye yerleşmek için sekenenin (mahalle sakinleri) rızası ve kefaleti lazımdı. Size birisi kefil olacak ki oraya gelip yerleşebilesiniz. Bunu bugün Batı dünyasında ve Amerika'da banliyö semtlerinde bazı komüniteler, komünite dediğimiz mahalle sekenesi yapıyor. Yeni yerleşmek isteyene ev satılırken önce bakıyorlar; bu kimdir, nasıl bir insandır diye, sonra ona göre evi satıyorlar. Burada bu ekonomik nedenlere bakış, bir güvenlik gerekçesi olduğu gibi bazı ahvalde ırkçılık da rol oynamıyor değil; ama eski devirde böyle değildi.

Yeni gelen insanın o komünitenin muhitinde vazgeçilmez bir yeri olacağı için, iyi bilinmesi, iyi olması ve iyi kabul görmesi şarttı; çünkü mahalleli demek akrabadan daha yakın insanlar demekti. İyi günde de kötü günde de siz o halkla iç içeydiniz ve zaten meskenlerin inşa biçimine bakarsanız komşunuzun sizin sırdaşınız olmaması mümkün değildir. Bu yüzden de İstanbul halkı, bilhassa ahşap yapılarda oturanlar, yüksek sesle konuşmamayı, hatta kavgalarını bile makul ölçüde götürmeyi bilen kimselerdi. Ancak bazı kenar semtler ahalisinin yüksek sesle meydanlara düşüp kavga etmesi onlar için adeta bir toplumsal ayırım doğurmuştur. "Falanca mahalleliler" diye konuşurlardı.

Burada mahallenin en önemli unsurlarından biri camiydi. Tabiî Hıristiyan mahallesinde bu, kilisedir ve onun yanındaki kahvehanedir. Kahvehanede beyler mahallenin bütün işlerini konuşurlardı. Hanımlar ise zaten bütün gün beraberlerdi hatta birtakım işleri de birlikte götürürlerdi. Evlilik, düğün günleri yaklaştığı vakit çeyizin son kalıntılarını sadece ev halkı değil, komşular da birlikte tamamlardı. Cenaze çıkan evde iki üç gün yemek pişmez, mahalleli eve yemek taşırdı. Bir insanın içtimai durumunda bir çöküntü meydana geldiği vakit, çoluk çocuğun beslenmesine yardım etmek mahallelinin bir nevi ortak endişesiydi.

Bir mahallenin zengini o mahallenin fukarasını doyururdu. Çünkü söylediğimiz gibi mahalle sekenesi, mahalle halkı iktisadi durumuna göre değil, daha çok dinî etnik kökenine göre buraya toplanırdı. Kenar semtine gittiğiniz zaman en fakir Rum da orada otururdu. Balıkçılıkla geçinen, patrikhanenin idaresine karışan "logofet" dediğimiz yüksek memur zümresinden kimseler de orada otururdu. Bizim "Fenerli Beyler" dediğimiz Rum aristokrasisi, ki Bab-ı âli'de bile hariciye işlerinde, tercüme işlerinde çalışırlardı, burada yaşardı. Dolayısıyla burada içtimai bir sınıf ayırımı yapmak mümkün değildi. Aynı şey Ermeni mahalleleri için de söz konusudur. *Amire zümre* dediğimiz imparatorluğun yüksek memuriyetlerinde çalışanlarla fakir fukara aynı yerde otururdu.

Mahalle mescitleri son derece sempatik yapılardı. Osmanlı mahallesindeki mescitlerde vakit namazları eda edilirdi. Cuma namazı için büyük camilere gidilirdi. Bugün artık öyle değil; bugün artık bütün camilerde Cuma namazı kılınıyor. Mescidin yanında da hemen bir mahalle mektebi bulunurdu. Hoca burada mahalle çocuklarına ilk

İstanbul'da bir mezarlık.

dinî bilgileri, okuma-yazmayı öğretirdi. Bunlar zamanla Osmanlı mahallesinin merkezî bir disiplinle kurduğu iptidai mekteplere dönüştüğü içindir ki çoğu İstanbul mahallesinde, Çarşamba'da, Karagümrük'te, Balat'ta örnekleri görüldüğü üzere, 19. yüzyılın sonunda kurulan o modern neo-klasik ilkokullar caminin yanındadır. Gene aynı şekilde, şehrin muhtelif yerlerindeki sübyan mekteplerinde de bu havayı görürsünüz. Sübyan mektebini vakfeden kimselerin çoğu, onun yanındaki bir mescit ve mezarlıkta medfundur.

Yavuz Sultan Selim devrinin ünlü şeyhülislamı Zembilli Ali Efendi bugün Zeyrek'te bir sübyan mektebinin yanında, çocuk sesleri arasında ebedi uykusunu uyumaktadır. Ali Efendi, kendisine sorulan soruları, sarkıttığı bir sepetle toplayıp cevabları da aynı şekilde evinden aşağı bıraktığı için *Zembilli Ali Efendi* diye anılır. Yavuz devrinin ünlü, sözünü sakınmaz müftüsüdür. Şeyhülislamı demiyoruz; çünkü şeyhülislam 18. asra ait bir tabirdir.

Zeyrek, Bizans-Osmanlı tarihinin gerçekten düğüm noktalarını yaşayan bir mahalledir. Ama biz bu mahalleye gereken önemi veriyor muyuz? Bugünkü Molla Zeyrek Camii, Bizans dönemindeki Pantokrator manastır ve kilisesiydi. Eskiden onun etrafında İstanbul'un uleması, memurları otururdu.

Cami ve mescidin civarındaki bakkal, yerine göre manav, hallaç, yorgancı ve kömürcü gibi dükkânlarla mahallede küçük bir meydancık kültürü ortaya çıkmaktadır. Bu bizim bildiğimiz Rönesans tarzı, fiziki olarak tasarlanmış bir meydan değilse de, o mahallenin merkezi görevini görmektedir.

Hiç şüphesiz ki bizim klasik İstanbul'da, Bursa, Edirne, Konya, Manisa gibi şehirlerimizde hatta Balıkesir'in Havran ilçesinde ve irili ufaklı bütün şehirlerimizde mezarlıklar, Osmanlı hayatının bize kalan en son kalıntısı ve çok ilginç bir kelime olacak, ama en "canlı" örnekleridir. Buraya, mimarisine ve konumuna baktığınız zaman, "ölüler şehri" demek mümkün değildir. Çünkü mezarlık ve mezar taşlarımız son yıllarda sadece Osmanlı tarihçilerinin değil, başka sahalardaki bilginlerin de ilgisini çekmekte ve araştırmalar yapılmaktadır. Bu araştırma bilimin sıkıcılığından çıkmış, âdeta bir nevi estetik spor haline dönüşmüştür.

Mezar taşlarının başlıklarına göre mezar sahibinin hangi sınıfa mensup olduğunu anlamak mümkündür. Esnaftan mı, tarikat erbabından mı, şeyh mi? Her bir tarikatın kendine göre bir serpuşu vardır. Gene aynı şekilde kadı mıdır, kazasker midir, müderris midir, anlamak mümkündür. *Kallavi* dediğimiz sarıklar, yani vezir-i azam kavukları Koca Ragıp Paşa gibi, Nevşehirli Damat İbrahim Paşa gibi sadrazamların mezarlarında veya Fatih Camii haziresindeki sadrazamlarda görülür. Şeyhülislamlarınki bellidir. Ayazma Mescidi dediğimiz III. Sultan Mustafa Camii'nin avlusunda çok nadir olarak silahtar ağaların ve saray mensubu diğer zabitlerin başlıklarını görürsünüz. Sayısız yeniçeri Üsküflü mezar taşı maalesef 1826'da tahrip edilmiştir. Nadir örnekleri Edirne'deki müzede sergilenmektedir. Dolayısıyla bir mezarlığa girdiğiniz zaman bir mescidin haziresindeki toplu mezarlıklar sonraki dönemde dikkati çekmiştir.

Mezarlıklar her mahallede ve şehrin her yerinde caminin ve mescidin haziresindedir. Bunlara baktığımız zaman adeta karmaşık, cümbüşlü mahalle pazaryeri manzarasıyla karşılaşırız. Mahallenin özelliğine göre Bab-ı âli ketebesi sarıklı şahideler, onun yanı başında medreseliler, esnaftan birileri, ayrıca başlıkları çiçekli hanım mezarlarını bu hazirelerde görmek mümkündür.

Eski toplumumuzun insanı ölüm olayına, onu geciktirip kaçarak değil, sıcak bir dostlukla kucaklayıp yanına alarak direnir. Niçin her biri bir üslup harikası olan eski mezar taşları dışarıdaki hayatla bir bütünlük içindedir? "Hüve'l baki- Kalıcı olan sadece O'dur (Allah'tır)... Ruhuna fatiha"... İki arşınlık mezarın üstünde mermerin ve ölümün soğukluğunu unutturacak sıcaklıkta bir hüsn-i hatla kazılmış Fatiha ve taş üzerinde ölenin sınıfı ve mesleğiyle ilgili bir alamet ve bir serpuş, bir kavuk. Bu bir esnaf olabilir, bir Kadiri dervişi veya şeyhi olabilir. Mezar taşlarının içinde öyle iddialısı, anıtsal olanı da yoktur. O gösteriş, zamanımızın Türklerine hastır. Ölüm, tevazu ve olağanlıkla benimsenmiştir. Bazen mizahın sıcaklığı da üste gelir: "Kadın dırdırından vefat eden falanca efendi" gibi bir ibareye Eyüp'te rastlarsınız.

Bu mezar taşlarının bazılarında çok dokunaklı beyitler, bazılarında hicve kaçan beyitler vardır. Kimisinde daha başka tumturaklı ifadeler yazılmıştır. Büyük kadıların mezar taşlarında adeta onların biyografisini okursunuz. Nerelerde bulunmuşlar, bunlar bazı ahvalde de ilmî tetkikatın temeli olmaktadır. Özellikle bizim tarihçiliğimizde ve tarihimizde biyografik kayıtlar iyi olmadığı için mezarlıklar çok önemlidir. Oysa günümüzde yerli ve bilhassa yabancı sadece zengin insanların değil orta hallilerin bile ham antika merakı yüzünden bu taşlar kaçırılmaktadır. Geçmişte yol müteahhitlerinin kırıp döktükleri mezarlıkların yanında bugün bir de bu gibi antika meraklısı kendini bilmez insanlar mezarlarımızı tahrip etmektedir ve bu gibi mezarların yerine yenileri konarak eski mezar taşları kaldırılmaktadır. Dolayısıyla eski mezarlıklarımız yeni definlerle kapatılmaktadır. *İstanbulluluk şuuru* ve *tarih şuuru* ile buraların korunması gerekir. Çünkü devletin kolluk kuvvetleri bu gibi yerleri korumaktan çok uzaktır ve yetersizdir. Bunun için milli bir şuur lazım. Bu şuura nasıl erişilir? Belki bunu başka bir bölümde tartışacağız.

Osmanlı şehirlerindeki mezarlıkların korunması hem milli sanat tarihimiz bakımından hem de bu mezar taşlarının üzerindeki bilgiler bakımından gereklidir. Arz ettiğim gibi bazı mezar taşı kitabeleri bir biyografiyi vermektedir. Aile mezarlığı şeklindeki bir devamlılık da mesela ünlü memur ailelerinin, ulema ailelerinin silsilesi hakkında bir fikir vermektedir. Bunların korunmasının devletin kolluk kuvvetleriyle sağlanamayacağı üzerinde ısrarla duruyorum. Ölümü olağan bir tavır, çelebice bir estetikle karşılayan eski toplumun yerini; onu telaşla ve kapkaçla yenmeye çalışan, pervasızca yıkıp yapan ham bir toplum aldı.

İnsan bazı ahvalde, çağdaş medeniyetin temelini teşkil eden İtalya'da halkın gereken duyarlılığa sahip olmaması yüzünden yaşanan tahribatı aklına getirdikçe, "Öyleyse biz burada ne yapalım?" diyor. Ama biraz ötesine baktığı zaman İsrail'de arkeolojik bir merkezin kalıntılarının nasıl milli bir spor halinde ilmî ekipler tarafından gönüllülerle birlikte kazıldığını ve korunduğunu görüyor. Bu korumanın sonu yok. Kimi parasını veriyor, kimi zamanını ve emeğini veriyor. Dolayısıyla buralarda hırsızlık meydana gelmiyor. Oralarda da birtakım eserler var. Aynen ülkemiz gibi çok zengin bir antik mirasa, İlkçağ mirasına, Ortaçağ mirasına sahip; fakat kimse oradan bir şey çalmaya cesaret edemiyor. Bizim kaynaklarımız ise bırakın İlkçağ eserlerini, büyük dedenizin kimliğini belirten mezar taşlarımız bile hırsızlık ve kaçakçılığa maruz kalıyor. Bunların üzerinde ısrarla durmak gerekir.

***

Nihayet Osmanlı mahallesinin en önemli kurumlarından birine geliyoruz. Vakıflar genellikle, mescit, cami veya onun yanında okul, dükkân şeklinde yapılır, hamamlar da bu görünümün kaçınılmaz yanını tamamlar. Hiç şüphesiz ki, *su* klasik şehirde nadir bulunan bir nesnedir. Bu nedret, tabiattaki su kıtlığından çok, onun dağıtımından ileri gelir. Eski şehirlerde suyu dağıtacak şebeke çok pahalı sayılır. O yüzdendir ki bizim Osmanlı şehirlerinde de evlerin içine su verilmez. Bir hanenin su alabilmesi belirgin ölçeklere tabidir. Yangın anıları arasında dinlemiştim: İhtiyar bir teyze, mücevherlerini sakladığı bir torba diye sabun torbasını alıp çıkmış. Geçmiş olsun.

İstanbul yangınlarında sadece ateşte eriyen mücevher ve pırlantalar değil nice zenginlikler, ne yazmalar ne sanat eserleri gitti. Bu yüzden, ahşap evleri kargire çevirmek Tanzimat adamının vazgeçemeyeceği bir faaliyetti. Büyük Reşid Paşa daha Londra'dan başlamış bu işi tasarlamaya, ama tasarlamakla ve iyi niyetle mesele bitmiyor. Bir yangından sonra kimsede kargir binaya geçecek ne para varmış ne de usta ve amele. Gene ahşap binaları pahalı pahalı kurmuşuz. Beyoğlu bunun bir istisnası. İtalya'dan gelen onlarca yüzlerce usta, kalfa, amele gerçekten tuğla bir şehir yarattılar. Bu, bugün bizim elimizde kalmış vaziyette ve koruması daha kolay. Ama ahşap maalesef uçup gidiyor. Hiç değilse birkaç sokağı, birkaç evi bile korumaktan aciziz.

Evin içine genellikle mahalle halkı çeşmeden su taşırdı. Bundan dolayıdır ki gerek paralı gerek çok ucuz olan, amme malı sayılan hamamlar şehirlerin temizliğini temin ederdi. Eski şehirlerimizde, bilhassa Bursa ve İstanbul gibi yerlerde, hemen her mahallede bir hamam bulunurdu. İnsanlar hamamı her vesileyle kullanırdı, erkekler için akşamları açıktı hamamlar. Hanımlar ve çocuklar her hafta gittikleri gibi bir de gelin hamamı, loğusa hamamı, sünnet hamamı gibi birtakım bahanelerle sık sık hamama gider gelirlerdi. Hamama gidip gelmek bir sosyal göstergeydi. Ayrıca buraya en nadide takımlarla gidilirdi. İşte hamam tası, peştamal, nalınlar ve oburluk faslı vardı. Hamamda eğlenme ve yeme-içmeyle saatler geçirilirdi. Yani öğlene doğru gidilir; ancak akşama doğru çıkılıp vücut adamakıllı dinlenmiş ve kendinden geçmiş vaziyette eve dönülürdü. O gün hamam günüdür, ondan evvel de evde çamaşır günüdür. Dolayısıyla haftanın bir günü tertemiz bir şekilde evin içine girilmiş olur. Bu müesseseler suyun eve kadar girmesi dolayısıyla gittikçe gerilediler ve Türk hamamı tarihimizden siliniyor. O kadar ki, ünlü ustaların elinden çıkmış, mesela Mimar Sinan'ın Samatya'daki hamamı gibi birtakım yerler tamamen terk edilmiş; zamanla imalathane haline gelmiş, mezbeleye dönüşmüş ve bunlar ancak son zamanlarda turizm ihtiyaçlarıyla dükkân vesaire olarak yeniden değiştirilmektedirler.

Osmanlı mahallesi bir bütündü. Binaları, ahşap evleri, dükkânları, mezarları, zengini, fakiri, genci ve ihtiyarıyla içtimai ve kültürel bir üniteydi. Bu, bugün kayboluyor. Bilhassa 1950'lerdeki büyük hesapsız istimlâk dolayısıyla mahalleler yıkıldı ve mahallelerin içindeki İstanbullular kayboldu. O güzel insanlar görünmez oldu. Bugün belki o üniteyi artık yaratamayız; ama mevcut olanlarını korumamız lazım. Korumayı devletten beklemek yerine biz sağlamalıyız; çünkü onun içinde biz yaşıyoruz. Biz kendimizi bilip kendi hayatımızı yönlendirmeye, kırıcı dökücü değişikliklerden korumaya çalışmalıyız.

OSMANLI'DA MATBAA VE KÜTÜBHANELER

Kitap; insanların, toplumların hayatında ne kadar eski ve ne kadar önemlidir. Biz biliyoruz ki yazı birkaç bin yıldır insanların kullanımındadır. Bununla birlikte toplumlar her zaman için yazıyı ve kitabı kullanmış değillerdir. Bir başka deyişle kültürel mirasımızı nesilden nesile devretmek için ne kulağımızı ne dilimizi kullanmayı tercih etmişiz. Kitaba geçiş ve kitap okuma alışkanlığının getirdiği yalnızlık, insan toplumlarının hayatında çok yenidir ve birtakım toplumlar için henüz bir lüks sayılmaktadır.

Geçen asırlarda birçok Avrupa toplumu, hatta bugün çok okuyan toplumlar dahi bizim yaptığımız gibi kültürel akışı ve kültürel etkileşimi kitaptan çok yüz yüze oturmakla, usta-çırak, derviş-şeyh, hoca-talebe ilişkisiyle götürmeyi tercih etmiştir.

Bundan dolayıdır ki matbaa aslında bazı toplumların hayatına girse de, pek fazla bir şey ifade etmemiştir. Bizde dün olsun, bugün olsun okumaya ve okuyuculara karşı her toplumda görülmeyen teatral bir saygı vardır. Ancak okumanın verimli sonuçları, kaçınılmaz sorunları olan farklı düşünce ve eleştiri ortaya çıktığı zaman aynı saygının veya aynı nötr davranışın pek geçerli olmadığı, artan dozda bir düşmanlığın sergilendiği açıktır. Toplumumuz okumayı sınırlı olarak anlar; okuyan insan hiçbir şekilde kendinden farklı düşünmek ve davranmak durumunda değildir. Bu, onun hoş karşılanmayan bir tutumudur ve toplum cahil de olsa (!) bunda haklı yönleri vardır. Dolayısıyla okumuş zümrenin bu çatışmayı göz önüne almasında fayda vardır. Biz henüz az okuyoruz. Kütübhane yaygınlığı bulunmaması, basılan kitapların sayısı bunu gösteriyor. Ancak son yıllarda kitap satışlarında, ekonomik krizlere rağmen beklenen dramatik düşüşler yaşanmadı. Toplum artık okumayı ekmek ve su gibi değilse de gömlek ve taşıt aracına yakın bir taleple karşılıyor. Gazete bilgisi ve gazete satışının düşüşü ise okuyucunun değil, daha çok bu zanaatı yürütenlerin kusuru olmalıdır.

Mesela bizde 15. yüzyıl sonunda, 16. yüzyılda birtakım gayrimüslim millet gruplarının matbaayı getirdiği tekrarlanır. *İnkunabel* dediğimiz bu kitapların mahiyeti tetkik edildikçe, daha çok dinî metinler olduğu anlaşılıyor. Yani duaların ve dinî metinlerin yanlış okunmaması, doğru öğrenilmesi ve yaygın öğrenilmesi için kullanılmışlardır.

Matbaa konusunda Avrupa'nın doğusu batısına göre hep yaya kalmışa benziyor. Dil çok önemli, anlaşılıyor ki insanlar tarih kitapları, az sayıda da olsa "divan" dediğimiz şiir derlemeleri gibi eserleri okumaktan çok, iyi okuyan birini dinlemeyi, hafızaya nakşedip birbirlerine nakletmeyi tercih etmişlerdir. Aksi takdirde bu kadar sevilen Naîma gibi, Gelibolulu Mustafa Âlî gibi, Peçevî gibi, Solakzade gibi tarihçilerin nüshalarının çok uzun zamanlar sadece yazma olarak kalması, matbaaya ancak 19. yüzyılda taşınması nasıl açıklanır? Bu metinlerin yazma nüshaları da öyle binlerle değil, çok çok yüzlerle ifade ediliyor. Buluntulardan da az bu çok anlaşılıyor. Geçmişteki tahribatı göze alsak da sayılar yüksek değildir.

Sadrazam Koca Ragıb Paşa Kütübhanesi. *C. L. Lingée.*

Kütübhane, bizim hayatımızda yavaş yavaş gelişen bir unsurdur. Şunu ifade etmek gerekir ki özellikle 18. yüzyılda İstanbul gibi bir şehirde, Mısır'da, Halep'te, Şam'da bazı vakıf kütübhanelerinin sayısı artmaktadır.

Özellikle İstanbul'da Koca Ragıp Paşa, Atıf Efendi, Hüsrev Paşa gibi birtakım kitapsever devlet büyüklerinin, ulemadan bazı ricalin kendi kitaplarının sayıları birkaç yüz ila birkaç bin arasında değişir. Bunların hususi vakıf kütübhaneleri kurarak kitap servetlerini topluma devrettiğini görüyoruz. Bunların içinde Atıf Efendi gibi makul büyüklükte olanları, Hüsrev Paşa'nınki gibi daha dar olanı vardır, hatta bazı kütübhanelerin bir küçük hücreden ibaret olduğunu biliriz ki malzemesi de birkaç yüz yazmadır. Bunların katalogları falan pek çıkmamıştır. Niye? Çünkü Avrupalıların "Curator" dedikleri bir hafız-ı kütüb vardır ve o bayağı enteresan bir insandır. Bu kütübhaneci bunları ezbere bilir. Hatta ismini cismini değil, muhtevasını da ezbere bilir. Bunlar öyle kişiler yetiştirmişlerdir ki, giderseniz mesela bir iki sayfa bulursunuz veya elinizde bir yazma kitap vardır. Başı yoktur, sonu yoktur, kopmuştur, ismini bilemezsiniz, yazarını bilemezsiniz. Bu zevat onları bulurlar. Bu tip kimseler, böyle hafız-ı kütübler benim ilk gençliğimde bile vardı. Modernleşen hayatla birlikte fişe ve bilgisayara çok fazla güvendiğimiz için olacak, bunlar ortadan kalkıyor.

Diğer bir sorun Türk hayatında niçin yazma ve basmanın bu kadar çok bulunmadığıdır.

Özellikle matbaa bize niye geç gelmiş? Bu, bizim kültür tarihimizin çok büyük bir sorunsalıdır. Sebep olarak neler söylenmiyor? Mesela matbaanın bize girmemesi yobazların yüzündendir diyenler var. Bu konuda bazı ipuçları vardır. El yazmasıyla, hattatlıkla geçinen, matbaanın girmesini istemeyen, bir zümre var. İkincisi matbaanın dinî metinlerle, özellikle mushaf-ı şerif dediğimiz Kuran-ı Kerim'le ilgili olarak kullanılmasını istemeyen bir zümre var. Ama şurası bir gerçektir ki bizim toplumumuz kitabı çok okuyan, binlerce basılmasını talep edecek kadar çok okuyan bir toplum değildir. Benim ilk gençliğimde hatırlıyorum şu âdet elan devam ediyordu: Bazı yaşlı amcalardan bir tanesi okur, diğerleri de etrafta dinlerlerdi. Böyle yorulmadan yüksek sesle okumayı ve öylesine dinlemeyi alışkanlık haline getirmiş kimseler vardı. Okuyan bundan bir haz duyardı. Diğerleri de okuma yazma bilse bile dinlemeyi tercih ederdi. Demek ki dikkatlerini öyle toparlıyorlardı.

Bu alışkanlık hiç şüphesiz ki bazı şeylerin ezbere gitmesini sağlar. Hayatında metinleri görmeden çok uzun metinleri ezberleyen insanlar vardır. Bunlar bilhassa Şark'ta çok görülür. Hindistan hükümdarlarından Akbar, gençliğinde av ve askerlikten okuma öğrenmemiş, böyle dinleyerek öğrenen fakat pek bilgili bir hükümdardır. Zengin kütübhanesinden hiçbir şeyi kendisinin okumadığı söylenir. Dağdaki yarı göçebe, göçebe unsurlar, aşiret mensupları mesela Firdevsî'nin sayısı binlerle ifade edilen beyitlerini, binlerle ifade

Abdülhamid'in Halk Kütübhanesi. *Verico*.

edilen uzun *Şehname*'sini ezbere bilirler. Bu çok yaygındır ve de kusursuz olarak ezbere bilirler. Hiç şüphe yok ki çok uzun asırlar yetmemiştir; ama bir süre geçmiştir ki Kuran-ı Kerim de kaydedilmiştir. Kaydedilen ayetler vardır ama derlenmiştir. Burada da gene hafızalara çok güvenilmiştir. Lisan, lisanın yapısı, üslup, ifade biçimi itibariyle eski toplumlarda ezbere yatkın bir edebi üslup vardır.

Mesela klasik devrin Latincesi orta zamanlarda, yeni zamanlarda kullanılan Latinceye göre daha ezbere müsait bir cümle yapısına sahiptir. Bu, klasik dillerde de çok bilinen bir gerçektir. Ezbere dayanan yani şifahi kültür dediğimiz olgu, kitabın birtakım toplumlarda çok yaygın bir şekilde kullanılmasını engellemiş olmasa da gereksiz kılmıştır. Ama bununla birlikte galiba kültürel olarak yalnız yaşamayı, kendi içinde tefekkürünü kurmayı seven Batı Avrupa toplumları bu konuda bir ihtiyacı da doğurmuştur.

Şöyle ki daha 1440'da Türkiye'yi gezen Johann Schiltberger'in *Türkler ve Tatarlar Arasında* adlı seyahatnamesi ve aynı yıllarda

Fransız Bertrandon de la Brocquiere'in *Küçük Asya Seyahatnamesi* matbaadan evvel yaygın biçimde el yazması ile yayılmıştır.

Unutmayın ki gazete yani ilk *gazetta*, İtalya'da her sabah elli, yüz, yüz elli, iki yüz nüsha çoğaltılıyor ve o şekilde dağıtılıyordu. İşte bu toplumlarda teknik bir ihtiyaç olarak matbaa daha evvel geliyor ve hayata giriyordu. Bu metinler sırf İncil ve dua kitapları değil, birtakım felsefe kitapları, bunların içinde birtakım seyahatnameler, bunun içinde işte gazete gibi günlük olayları aksettirenlerdi. Şiirler (içeride hatta tefrikat gösteriyor) birtakım pornografik eserler, müstehcen şeyler de bu gibi eserlerin içinde. Yani insanlar matbaadan evvel elle çoğaltılmış nüshaları alıyorlar ve bunlar için evler var. Üniversitelerin yanında bir nevi matbaa gibi çalışan tezgâhlar var. Yani çok okunan ders kitaplarını çoğaltıyorlar.

Bu bizim edebiyatımızda da vardır. Medrese talebelerinin çok okuduğu, çok kopya ettiği metinler vardır. Mesela Mahmud Paşa menkıbesi, Fatih'in veziri olan ve kendisine "veli" denen Mahmud Paşa'nın menkıbesi bu gibi çoğaltılanlardandır. Kanije'nin ünlü kahramanı Tiryaki Hasan Paşa'nın Kanije Savunması tarihi de bu gibi çoğaltılan metinlerden birisidir. Tabiî halk hikâyeleri, *Âşık Garip*, *Kerem ile Aslı*, *Tahir ile Zühre* gibi metinlerin de arkası gelmez. 18. yüzyılda *Hançerli Hanım* ya da *Tayyarzade* gibi mebzul miktarda hikâyeler böyle elle çoğaltılırdı. Bunlar matbaa olmasına rağmen, matbaanın külfet ve masrafına müracaat etmeden çok iyi bir hüsnihat, güzel yazı örneği olmasa bile, okunaklı bir yazıyla tabiî halkın kendi dilinde çoğaltılan nüshalardır. Bugün bile birtakım insanlar makul miktarda bu gibi el yazmalarını buluyorlar.

Dolayısıyla kütübhane Türk hayatında çok eski olmamakla birlikte, yaygınlaşması 18. ve 19. yüzyıldır. Hatta 1865'de o zamanki evkaf müfettişlerinden Abdurrahman Naci Bey, Şehzade Camii yanındaki sebilin hemen yanındaki Damat İbrahim Paşa kütübhanesinin 1.152 adetlik nüshalarını tek tek inceleyerek mükemmel bir katalog yapmıştır. Tabiî bu kadar teferruatlı ve zenginleri bugüne kadar çıkmamıştır. Ama bu toplum okumayan bir toplum değil onu bilmek lazım. Nitekim 20. yüzyılda Arap dilindeki edebiyatın en zengin fihristini –*GAS* denir buna ve en önemli Arap edebiyatı tarihi katalogudur, ciltler dolusu bir fihristtir– hazırlayan Yusuf Sezgin Bey'dir. Kendisi tabiî burada çok önemli bir ölçüde sıfırdan başlamamış, eserini kendinden evvelki hocalarının ve üstadlarının kayıtlarının mirasını büyük ölçüde kullanarak geliştirmiştir. Bu çok açık bir şeydir.

Bu, Türkiye'nin bir mirasıdır. Ve kendinden evvel Batılıların hazırladığı, Carl Brockelmann gibilerinin hazırladığı bu konudaki literatürü çok aşmıştır, fazlasıyla aşmıştır. Aynı şeyi Osmanlı tarihçiliği için söyleyemeyeceğiz. Franz Babinger'in ünlü Osmanlı Tarih Yazarları adlı fihristinin daha mükemmelini şu an bir Türk yapmış değildir. Yapılması gerekir. Bizans'tan beri bütün Balkanlar'ın ve Ortadoğu'nun yazmaları İstanbul kütübhanelerine toplanmıştır; ama bu kütübhanelerin yaşayış biçimleri, onların nasıl götürüleceği kimseyi fazla ilgilendirmiyor. Ve nihayet bu ülke elan *inkunabel* dediğimiz ilk basma eserlerimizin ve asıl önemlisi yazmalarımızın kaçırıldığı bir yer haline gelmiş. Kaç kişi kendine bunu dert edinmiş? 17. asırdan beri hiçbir seyyah, diplomat yok ki bizim kitapları heybesine doldurup götürmemiş olsun. İşte Busbecque, işte Hammer, İşte Antoine Galland... Paris, Vatikan, Londra, Viyana'nın kütübhaneleri yazmalarımızla dolu.

Niçin kütübhane? Kütübhaneler geçen asrın hatta bu asrın başına kadar umumi felaketimiz olan yangınlara karşı bir kaledir. Kültürün ve tarihin bir kalesidir. Taş kaleleridir. Bunların sayesindedir ki yangınlarla kül olan İstanbul'da yazma metinlerimiz bugüne kadar ulaşmıştır. Süleymaniye kütübhanesi; Kanuni Sultan Süleyman'dan beri gelen bir vakıf olan, ama kısmen diğer vakıfların bir araya getirilmesiyle teşekkül eden, Meral Alpay'ın ve Günay Kut'un ifadelerine göre sayısı 65.000'i geçen yazma ve basma ve taş baskı –taşbaskısı ayrı bir kategoridir– ve 35.000 kadar tutan yazma, eski harfli eserlerden oluşan cihanşümul, evrensel bir kütübhanedir. Burada bir de kitap hastanemiz vardır.

Gene bunun gibisi tabiî ki Topkapı Sarayı'dır. Burada yazılıp, tezhib edilip, süslenip hükümdarlara takdim edilen kitaplar bulunmaktadır. Hatta Saray'da kitap süslemek için ayrı bir çalışanlar grubu vardı. Bunlar bugün o darphane denen kısımda iş görüşürlermiş. Bir de İstanbul cazip bir kitap merkezi olduğu için Tahran'dan, Bağdat'tan, Halep'ten, Musul'dan ta uzak Hindistan, Müslüman Hindistan alt kıtasından kitap getiriliyormuş. Bu kitapların en iyileri padişahlara takdim ediliyordu. Allah'a şükür buradaki 20.000'i aşkın eserimiz fazla tahribata uğramadan bakımlı bir şekilde bugüne kadar gelmiştir. İçinde öyle sırf Osmanlıca dediğimiz Türkçe, Arapça, Farsça değil aynı zamanda Slav dillerinde, Bizans'tan kalma Helence ve Aramca –halk arasında Süryanice deniyor– metinler bile var. Topkapı bir Rönesans kütübhanesidir, bunlar tetkik edildikçe anlaşılıyor ki son derece kıymetli, medeniyet tarihine katkıda bulunacak eserlerdir.

İşte kütübhaneler şehri İstanbul'da bir okuma furyası var. Bu nasıl bir şey? Şimdi artık bu kalmadı. Kütübhaneler hafız-ı kütüb'ün yani kurranın, kütübhanecinin şahsiyeti etrafında biçimlenen müesseselerdir. Onun bilgisi, edipler, âlimler ve zarif insanlarla olan ilişkisi kütübhanenin şöhretini ve zenginliğini sağlardı. Bunların çoğu hafızası kuvvetli, âlim insanlardı. En ünlüleri bizim bugün Beyazıt Kütübhanesi dediğimiz kütübhanenin müdürü olan, edebiyat tarihi tetkiklerimizde ölümsüz bir isme sahip ve İstanbul âlimleri arasında da kişiliği itibariyle çok engin bir saygı uyandıran İsmail Sâib (Sencer) Efendi idi. İsmail Sâib Efendi kitapları ezbere bilirdi. Gelenler, orada seminer yapanlar ezbere okuyarak konuşurdu. Bu o zamanki garb ve şarktaki insanları hayran bırakmıştır. Bugünün İstanbul'unda ise, maalesef kitapların zamanında takip edilemediği, süreli yayınların vaktinde toplanamadığı bir merkez durumunda olan üniversite kütübhanemiz halen yenilenebilmiş, her şeyi ortaya konmuş durumda değil. Beyazıt Umumi Kütübhanesi yeni eserlerle zenginleştirilemiyor. Ama bunun yanı başında "IRCICA" gibi bazı özel teşekküllerin kurduğu kütübhaneler, mesela İslam Araştırmaları Merkezi'ninki gibi zenginlikler ortaya çıkıyor. İnsanlar okumayı terk etti diye düşünsek de, ister istemez yine okumaya yönelmeye başlıyorlar. Türkiye kitap okuma ve kitap basmakta yeni bir safhaya giriyor.

Burada tabiî şunun üzerinde duralım; matbaa bu ülkeye şu veya bu sebepten dolayı geç gelmedi, bir tek sebepten dolayı geç geldi. Arz ettiğim gibi, insanların eve kapanıp okuma alışkanlığının olmamasıyla ilgiliydi. Yoksa biliyoruz ki daha 16. asırdan itibaren İtalya'da, Venedik'te, sonra 17. asırda mekitarist Ermenilerin gene Viyana'da kurdukları kütübhanelerde Arap harfli Türkçe basımlar yapılabiliyordu. Mesela İncil basıp getiriyorlardı. Burada insanlar okusaydı, şu veya bu zümre yasaklasa, matbaayı kurdurmasa bile nasıl cam geliyor, kumaş geliyorsa Venedik'te basılıp Türkçe kitap da gelirdi.

Dolayısıyla bizim bu basılı kitapla tek başımıza kapanıp okumama alışkanlığımızın çok uzun zaman sürdüğünü, hatta benim ilk gençliğimde ve çocukluğumda bile kitap okuyanlarla biraz alay edildiğini geniş çevrelerde ben hatırlarım. "Kapanır okur." deniyordu. Yani "kapanıp kafayı çeker" gibisinden bir kusur olarak bu belirtiliyordu. "Çok okumak iyi değildir" gibi hakimane laflar da şimdi değişti.

Türkiye'de, şimdi kitap sayısı birden katlanarak artmaya başladı. Kötü çevirilerin yerini iyileri almaya başladı. Hatta iyi basıma geçilmeye başlandı. Yani kitap, sanat eseri olarak da sevilebilecek bir şey olarak basılmaya başlandı. Tabiî hâlâ yavaş yavaş basılıyor. Bırakın Batı ülkelerini, yanıbaşımızdaki İran'a göre de kitap basımı çok yavaş ve henüz pahalıdır.

TANZİMAT AYDINLARI

Günümüz edebiyatında Bab-ı âli aydını dediğimiz zaman yiyici, tembel, sorumsuz, entrikacı, mütebasbıs, yani daha kaba tabiriyle, yağcı bir görevli ve toplumsal parazit bir tip çizilir. Maalesef rejim değişikliği sırasında zaruri olan bu gibi tasvirleri bugünün yazarları bazı halde lüzumsuzca ve abartarak ileri götürürler. Özellikle Tanzimat asrının idareci ve memur kadroları için kolayca yapıştırılan bu yaftadaki haksızlık ortadadır. Eğer tarihteki olayları ve kişileri haksız betimlemelerle ve uygun olmayan renklerle çizersek, bundan her şeyden önce zamanımız kaybeder.

Eğer Türkiye'deki tarihçilik ve kültür tarihçiliği 19. yüzyılın aydınını doğru yönleriyle, eksik ve olumsuz yanlarını da belirterek, yaratıcı ve yapıcı yönleriyle çizse bundan her şeyden evvel 21. yüzyılın kamu görevlisi ve 21. yüzyılın Türk aydını istifade ederdi. Oysa bugünkü aydınımız ve bürokratımız hiç gereksiz bir şekilde kendini istikbale hangi referans noktalarıyla yöneleceğini bilmeyen pusulasız bir gemi gibi hissetmektedir. Gerek içtimai hayatımızda, gerek siyasi literatürümüzde *Tanzimat efendisi, Tanzimat bürokratı* çöküntünün ve ahlaksızlığın ifadesi olan bir kavram haline dönüşmüştür. O kadar ki günümüzün insanı da kendini köksüz, ananesiz ve baştan sona bir kaostan meydana gelen bir toplumun, bir müessesenin, bir devletin ferdi gibi hissetmektedir. Bu bakımdan tarihin eğrisi ve doğrusuyla olduğu gibi çizilmesi gerektiğini, şüphesiz ki anlamak gerekir.

Bab-ı âli aydını dediğimiz zaman her şeyden evvel 19. yüzyıldaki kültür değişimini, dünyaya açılışı anlayan bir tasavvur etmek gerekir. Bu değişmek için değişen bir aydın tipi değildir. Bu zaruretler dolayısıyla kendini değiştiren biridir. Bab-ı âli'nin aydını 19. yüzyılda, hiçbir şekilde dedesinin bildiklerini unutan ve reddeden biri değildir. Bir yerde onun yaşadığı hayatın içine doğmuştur ve günün birinde onun gibi yaşayıp ölecektir. Arada bazı şeylere yöneliyor ise, o asrın icabatındandır. Yani Osmanlıcası pekâlâ güzel olan ve Farsçaya düşkün olan Fuad Paşa, Fransızcayı Fransızlar kadar iyi biliyorsa, hatta kelime ve deyim oyunlarına girişip diplomasi sanatına bu açıdan bazı katkılarda bulunuyorsa, bunun üzerinde durmak gerekir. Mehmed Emin Ali Paşa, Mısır Çarşısı'ndaki fakir bir kapıcının oğludur ama müthiş bir gayretle Fransızcayı öğrenmiştir, o dilin edebiyatına mı âşıktı, belki ama, asıl sevgilisi Devlet-i âliyye'nin hariciye nezaretiydi.

Babası Mısır Çarşısı kapısında ucuz şeyler satan, ailesini zor geçindiren bir adamdı. Bu gayretkeş genç, makam-ı sadarete yani o asırda üç kıtada hüküm-fermâ olan bir imparatorluğun diktatör sadrazamı mertebesine çıkmıştır. Burada *diktatör* kötü anlamda anlaşılmasın; diktatördür, yani bütün bürokrasinin başındadır, A'dan Z'ye her işi kontrol edebilmektedir. Ayrıca zamanında takdir edilen bir bürokrattır. O kadar ki Yılmaz Öztuna da bu sadrazamı bu özellikleriyle tebarüz ettirir. Ali Paşa öldüğü vakit okkasını Avrupa devlet adamları müzayede ile alıp bir kutsal emanet gibi sakladılar.

SON İMPARATORLUK OSMANLI

Tanzimat döneminin aydın sadrazamı Mehmed Emin Ali Paşa, Türk seçkinlerinin en belirgin örneğidir. İstanbul halkının en fakir kesiminden gelip, doğru dürüst okul görmese de kendisini Babıâli kalemlerinde bin bir gayretle yetiştirmiştir. Bu gencin Fransızcasını işitip okuyan ünlü Lamartine, "Fransa'da okuduğu için Fransızcası benim kadar düzgün" diyor. Oysa ne Fransa'sı, sadrazamlık kalemlerinde kör makasla mukavva kesercesine dervişane çileyle her şeyi öğrenmişti. Fransızcayı iğneyle kuyu kazar gibi Bab-ı âli'nin karanlık odalarında sökmüştü; çünkü büyük devlet dış dünyada her Allah'ın günü mücadele etmek zorundaydı. 19. yüzyılın mücadelesi diplomasiyle, yazışmayla, o yazışmalarda kullanılan ifade zenginliği ve kıvraklığıyla mümkün olabilmekteydi. Fethi Ahmed Paşa, bu aydın mareşal, Aya İrini'de topladığı eserleri, bir Müzehane-i Hümayun koleksiyonu haline getirmiş ve kataloglar için de Goolds'u görevlendirmişti.

Gene bu dünyanın çok ilginç kişiliklerinden birisi, tarif üzere; "bir binek taşı büyüklüğünde elmas" gibidir, yüzüğe taksan takılmaz, atsan atılmaz, satsan satılmaz, bir garip adam, denen Ahmed Vefik Paşa'dır. Bir mütercim aileden gelir. Bulgarzade Yahya ve Rüknettin soyundan, bir mühtediydi. Yunancayı eskisi ve yenisiyle aileden biliyordu; fakat bu onun çok büyük bir Yunan düşmanı olmasını engelleyememişti. Fransızcayı Paris'te Saint Louis Lisesi'nde okumuştu. Diğerlerinden farklı bir tarafı da budur; çünkü diğerleri Fransızcayı memlekette öğrenmişlerdi. Ahmed Vefik Paşa'nın Farsçası, Arapçası mükemmeldi ve Türk dilinin âlimlerinden, mübeşşirlerinden birisiydi. Yaptığı hizmetler ortadadır. Yerine göre çok ters anlaşılan fiilleri vardır. Fakat biz tarihi yeni keşfediyoruz ve ilk başta söylediğimizi bir müddet sonra değiştirmek zorunda kalıyoruz. İlk zamanlar Ahmed Vefik Paşa'yı diktatör ve Abdülhamid'in maşası bir meclis üyesi olarak görenler sonradan anlıyorlar ki; Ahmed Vefik Paşa kendine göre bir imparatorluk ideolojisi ve politikası olan bir zattır. Mecliste de bunu tatbik etmeye çalışmıştır.

Bu dünyanın içinde Fraşeri Şemsettin Sami gibi Arnavutluk'un hanedanlarından olup; hem Arnavutların, hem Türklerin milli kültürüne, lügatine, ansiklopedisine, tiyatrosuna, romancılığına hizmet eden biri vardır.

Bu dünyanın içinde eşi bulunmaz biri Ahmet Cevdet Paşa'dır. Kendisi ilmiye sınıfının içinde Süleymaniye müderrisi dediğimiz, medreselerin içindeki ordinaryüslük payesine yükselmiştir. Süleymaniye'de ders vermek çok zordur. Çünkü birtakım kızgın, kindar, hayattan zevk alamamış molla takımı, hocalarını zor meseleler ve münakaşalarla çıkmaza sürüklemeyi âdet edinmişlerdir. Çok genç yaşta Süleymaniye ordinaryüsü, yani kibar-ı müderrisinden olduğu halde Ahmet Cevdet Paşa ve onun gibilerin yargıya geçtikleri takdirde mevkileri kazaskerlikti. Böyle yan geçişler olurdu. Mülkiyede vezirliğe eşit bir rütbeydi.

Genç yaşındaki bu müderris Süleymaniye'de de herkesin hürmetini kazanmış ve millet onu saygıyla dinlemiş. Neredeyse Şeyhülislam olacakken, yazdığı tarihin çok beğenilmesi ve Tanzimat sırasındaki yasama faaliyetlerine, nizamname faaliyetlerine köklü hukuk bilgisiyle iştirak etmesi ve bilhassa Mustafa Reşid Paşa'nın ve öbürlerinin de takdir ve itimadını kazanmasıyla kendisi mülkiye-idareci silkine getirilmiştir. Şimdi karşınızda Ahmet Cevdet Paşa vardır. Şu kadarını söyleyelim; Ahmet Cevdet Paşa, rakibi olan Midhat Paşa'yla belirli bir dönem içinde birlikte fevkalade çalışmışlardır. *Vilayet Nizamnamesi*, büyük ölçüde bu ikisinin işbirliğinin eseridir. Bu, imparatorluk için mükemmel bir idari statüdür ve Midhat Paşa bilindiği gibi Tuna vilayetindeki, Şam'daki ve Bağdat'taki valilikleriyle büyük işler becermiştir. O kadar ki, 19. yüzyılın bırakın Türkiye tarihi, bütün Avrupa tarihindeki büyük valilerinden biridir. Öbür büyük vali de, Türkiye dışından örnek göstereceksek, sonra bize Rusya sefiri olarak gelen General İgnatiev'tir. Bu iki kişi sonra, biri Rusya sefiri biri sadrazam, birbirinden haklı olarak çok nefret eden iki şahsiyet olmuştur.

SON İMPARATORLUK OSMANLI

Midhat Paşa'yı "hürriyet kahramanı", "Osmanlı anayasasının babası"; Ahmet Cevdet Paşa'yı ise Türkiye'de "modern tarihçiliği başlatan düşünür" olarak tanıyoruz. Bu kadarla da bitmiyor; gerçekliğinin ne kadar olduğunu etraflıca düşünmeden Ahmet Cevdet Paşa'yı ve Midhat Paşa'yı toptancı bir zihniyetle bugüne göre değerlendiriyoruz. Ayrı dünya görüşlerinin öncüleri olarak ele alıyoruz. İkisi de Tanzimat döneminin seçkin bürokratları içinde genç kuşaktan sayılır. Ölümleri on bir sene arayla Mayıs ayına rastlar. Midhat Paşa 1884 yılının Mayıs ayında katledildi. Ahmet Cevdet Paşa, 27 Mayıs 1895'te öldü. Doğumları ise aynı yıla, yani 1822'ye rastlar.

Osmanlı modernleşmesinin iki kanadını oluşturan bu iki adam Rumeli asıllı ailelerden gelir. Ahmet Cevdet Paşa bugün Kuzey Bulgaristan'da bulunan Lofça kentindendir. Midhat Paşa ise Lofça'dan uzak olmayan Rusçuklu bir ailenin İstanbul'da doğan çocuğudur. Her iki ailede de din adamları ağırlıktaydı. Her ikisinin adı da Ahmet'ti. Birinin adı Ahmet Şefik'ti. Bab-ı âli bürokrasisi ona Midhat mahlasını verdi. Öbürüne de Cevdet adını İstanbul'da medrese çevrelerinde verdiler. Böylece Ahmet Cevdet ve Ahmet Midhat Paşalar, son Osmanlı yüzyılının önde gelen iki siması olarak tarihte yerlerini aldılar.

Zamanla Cevdet Paşa ve Midhat Paşa birbirlerine can düşmanı kesilmiştir. Bu, şunu gösteriyor ki; olumlu işlerin yapılamadığı, sistemin bozulmaya başladığı, takım çalışmasının öldüğü dönemlerde kabiliyetli insanlar, birlikte granit dağları deviren adamlar değil, birbirlerini deviren canavarlar haline dönüşmüşlerdir. Ahmet Midhat Paşa'yı Sultan Abdülhamid cezalandırdı; ama Ahmet Cevdet Paşa'yı da ödüllendirdiğini sanmayın. Sözde saygı görürdü; ama Hamidiye döneminde Bab-ı âli ve Yıldız Sarayı çevreleri onu kibarca bir kenara itelediler. İkisinin de yaratıcı hizmetleri ve başarılı yılları Osmanlı reform dönemindeydi aslında. Daha doğrusu bürokrasinin aydın diktası denen Koca Reşid Paşa, Ali ve Fuad Paşalar dönemindeydi. Bu iki seçkin vezirin bir noksanları vardı; birbirlerine saygı ve tahammülleri yoktu. Hırçın bir mücadeleye giriştiler ve bu çekişme 1876 Anayasası hazırlanırken ölçüsüz bir münakaşa biçiminde çatlak verdi. Gerçekte bu çatışma, Avrupa hukukuyla Fransızca ve Arapça gibi kutuplaşmalara bağlanarak açıklanacak gibi değildi. Cevdet Paşa biraz Fransızca biliyordu ve Avrupa tarihini okuyup zekice özümleyen biriydi. Midhat Paşa da Doğu kültüründen kopuk değildi. Cevdet Paşa'nın hukukçu yeteneği ve bilgisi tartışılmazdı; Midhat Paşa da bunu göremeyecek biri değildi. Çatışma nedeni; rekabete, Osmanlı bürokrasisinin geleneksel hastalığına, dayanıyordu. Görüşlerin farklılaşması ve birbirlerine karşı vaziyet alışlar bile bu gerçeğin etrafında biçimleniyordu.

Osmanlı bürokrasisinin Tanzimat safhası Sultan Abdülaziz'in hal'iyle biter ve kısa bir V. Murad döneminin ardından Sultan II. Abdülhamid'in uzun saltanatı gelir, bir başka deyişle Hamidiye Tanzimatı denebilecek devir... Bu dönemlerin birbirinden farklı veçheleri vardır. Politikalar ve gelişmeler birbirini tamamlıyorsa da idarecilerin şahsiyeti değişik görünümler ve neticeler arz etmektedir.

19. yüzyılın memur tipi değişik bir ortamdaydı; işlerin fazlalığından devlet daha evvel ne okulla ne de hastaneyle uğraşıyordu. Şimdi ise devlet artık okul ve hastane gibi yapılmayan işleri yapmaya başlıyor, telgraf döşüyordu. Dolayısıyla memur ihtiyacı artıyordu. Vilayetlerde ve merkezde memurların sayısı artıyordu ve bu yeni memur tipi eskisinden çok farklı olacaktı. Pratik bilgilerle donanmış, kısa ve iyi yazan, yazısıyla ve davranışıyla geniş kitleye hitap edebilecek bir karakterde yetiştirilmesi lazımdı. Yeni kurulan mektepler bunu sağlıyordu; ama mektepler Tanzimat'ın çok geç döneminde ortaya çıkmıştı. Düşünün ki Mülkiye mektebinin kuruluşu 1850'lerin sonudur. Hukuk mektebinin faaliyeti geçtir. Mekteb-i Nüvvab'ınki de (Naibler Mektebi anlamında, kadı yetiştirmek üzere açılan mektep) öyledir.

Peki bu Tanzimat çağını kimler başlatıp yürütmüştür?

Düpedüz Bab-ı âli'nin kendisi bir okul ve ananedir. Memur, devlet dairesinden yetiştirilmiştir. Bu eski bir Osmanlı ananesidir ve yeni kurulan mekteplerdeki öğrenciler de zaten ilgili nezaretlerin bir odasında işe başlıyorlardı. Mesela Ticaret Mektebi Ticaret ve Meadin Nezareti'nde, Mülkiye Mektebi Maarif Nezareti'nin birkaç odasında işe başlıyordu. Bu Cumhuriyet döneminde bile devam etmiştir. Ankara'da Ulus'taki eski Adliye Vekâleti'nin odasında bizim Hukuk Fakültesi, Hukuk Mektebi olarak 1925'te ilk sınıflarını açarak tedrisata başlamıştır. Ondan sonra artık binaya sığmayınca onlar için bir bina yapımına başlanmıştır. Bugünkü Hukuk Fakültesi budur. Bu değişmez bir kaidedir. Ancak tabiî tıbbiye, baytarlık, mühendislik gibi geniş sahalar isteyen okullar ayrıdır.

Şunun üzerinde ısrarla durmak gerekiyor: Tanzimat bürokrasisi dediğimiz zaman, sadece Türk ve Müslümanları anlamayın. İslam hukukunu Müslüman âlimlere yakın bir derecede bilen Rum-Ortodoks *Sava Paşa*, Türk tarihi üzerindeki bilgisi herkesi hayretlere düşürecek kadar derin olan Ermeni nazırlardan *Dadyan Paşa*, Avrupa edebiyatını ve iktisadi bilgileri bilhassa *Takvim-i Vekayi* sayfalarına çeviren *Sahak Abro Efendi* veya bizim memlekete ekonomi ve ekonomi politik bilimini getiren *Sakızlı Ohannes Paşa, Mikail Portakal Paşa;* hepsi bu bürokrasinin öğeleridir. Bu bir ananedir. Bu kozmopolit, kökence farklı, fakat kültürce ve ruhça Osmanlı olan bürokrasinin kökleri 18. yüzyıla kadar gitmektedir.

18. yüzyıla kadar dedik, mesela İstanbul'da müteferrika rütbesiyle rehin olarak bulunan Dimitri Kantemir, Boğdan voyvodası Konstantin Kantimir'in oğludur. Türk musikisinden, Fars şiirinden mükemmel anlıyordu ve ilk Osmanlı tarihini Hammer'den evvel o yazmıştır. Onun yanında Nefiyoğlu, Mavrokordato kardeşler, Yanyalı Hoca Mehmed Esad Efendi –Rumca bilirdi ve Latince öğrenmişti– ve Hazerfen Hüseyin Efendi gibi zevat çevriliydi. Bunlar ilginç ve renkli, bilgili bir bürokrasiyi oluşturmaktadırlar. Bunların çoğu Osmanlı bürokrasisinin temeliydi, yani Tanzimat bürokrasisi üç günde

bitmemiştir. Arkasında böyle bir gelenek vardır. Onun için çokça kullanılan "batıcı" yahut "komprador, köksüz bürokrasi" gibi deyimlerin incelemeden ve gerçek bilgiden uzak olduğu açıktır.

Bu bürokrasi dünyaya açıklığı ve ülkeyi tanımasıyla ister istemez ülkeyi tanıtıyor. Cevdet Paşa Kanun-i Esasi'yi istiyor mu istemiyor mu, bunu tartışmak gerekir. En azından Cevdet Paşa'nın tarihine göz atınca, satır aralarından İngiliz parlamentarizmine olan hayranlığı açıkça görülüyor. Cevdet Paşa'nın İslamcılığı ve gelenekçiliği çok fazla tekrarlanıyor. Ama bir soru daha sormak lazım: Nasıl bir İslamcılık? Söyledikleri ve yaptıkları, ünlü eseri *Mecelle* dahil, medreselilerin tepkisini çekiyordu. Türk dilinin sadeleşmesini savunan, bu konuda denemeler kaleme alan, devrine göre duru bir dilin örneğini veren düşünür ve yazar Cevdet Paşa'dır. İslamcı denen kanadın hiçbir zaman önderi olmadı, olamadı da.

İslam hukuku konusunda medrese çevrelerinin zıddına giden yorumları nedeniyle 19. yüzyıl uleması onu gönüllerinden dışladılar. Takip etseler daha iyi olurdu, ama belki de edecek güçleri yoktu. Cevdet Paşa medresenin son güneşidir. Talihsizliği odur ki kendisini anlayan bir çevrenin adamı değildi.

Bunlar öyle başkentten çıkmayan adamlar değildi. Ahmet Cevdet Paşa'sından Fuad Paşa'sına, Ali Paşa'sına ve Ahmed Vefik Paşa'sına kadar hem yurt içinde hem yurt dışında, hem Şark'ta hem Garp'ta bulunmuş adamlardı, bir dönüşümü temsil ediyorlardı. Şurası açıktır ki, zamanımızda biz böyle bir bürokrasiye sahip değiliz. Belki bu tip bürokrasiye 19. yüzyılda Fransa, İngiltere ve Avusturya da sahipti ve onlar da bugün o tipte adamlara sahip değiller. Günümüzde ihtisaslaşma ve farklı eğitim bu tipleri artık hayatımızdan silmektedir. Bununla birlikte bize düşen, bu ananeyi ve bu kişilikleri iyi tanımaktır.

Bugünkü Türk bürokrasisinin en önemli noksanlarından biri; çalıştığı ofisin ne olduğunu, nereden geldiğini, buralarda kimlerin çalıştığını, başkanlık yaptığını, bu çalışanların nasıl kimseler olduğunu bilmemesi; yani mazisini araştırmaması, öğrenmemesidir. Ben eminim ki Dışişleri Bakanlığındakilerin –ki bunlar bizde tarihe en meraklı gruptur– çoğu eski Osmanlı Hariciye nazırlarının kimler olduklarını, Osmanlı Hariciye Nezareti'ndeki ana şubeleri bilmez. Daha kötü durum İçişleri Bakanlığı'mız, Maliye Bakanlığı'mız için söz konusudur. Milli Eğitim Bakanlığı'nın Osmanlı'dan intikal eden arşivleri koruduğu konusunda da ciddi şüphelerim vardır. Biz Bab-ı âli bürokrasisini yanlış olarak değil, doğru tanıyarak zikretmek zorundayız.

BATILILAŞMA

Batılılaşma gibi bir kelime 20. yüzyılda kullanıldı. Böyle bir terim ve Batılılaşmayı ifade eden Doğu-Batı çekişmesi 19. yüzyıldan beri hayatımızda. Peki Batılılaşma denen olay ve süreç bizim toplum hayatımızda bu kadar yeni mi? Hayır. Çünkü Türkler bu topraklara, Anadolu'ya adım attıkları andan itibaren aslında Batı denen dünyanın içindedirler. İşin hiçbir şekilde geciktirme ve oyalanmaya tahammülü yoktur. Karşı tarafta hangi askerî üstünlük varsa, hangi teknolojik değişim söz konusuysa burada da anında bulunması gerekir. Osmanlı Devleti Batı yakasına, yani Balkanlar'a adım attığı andan itibaren bunu görürsünüz.

15. yüzyıl boyunca Macar krallığı Orta Avrupa'da ve Balkanlar'da çok etkin bir siyasi güçtü. "Karakartallar" denen merkezî bir orduya sahipti. Ünlü Macar kralı ve bir de Alman imparatoru seçilen Sigismund tarafından kurulmuştu bu güç. Bu orduda ateşli silahların o zaman için etkin bir biçimde kullanılması söz konusuydu. Bu

camiayla karşı karşıya gelen Osmanlı askerî sistemi, bunları anında alıp geliştirmekle mükellefti.

Biz ticaretimizi Venedik'le, İtalyan şehirleriyle yapardık ve hatta bu memlekete *Turkmenia, Turchia, Turkiya* ismini verenler de onlardır Ortaçağ'da. Çünkü biz kendimizi Romalılık iddiasıyla Devlet-i Rum, Rum Selçukluları gibi unvanlarla anıyorduk. Tabiî Türk ve Türkmen olduğumuzu biliyorduk; yani işi o kadar da abartmayalım bazı kaynakların söylediği gibi.

Şimdi burada Batı dediğimiz şey sizin karşınızda bulunmaktadır. Şunu da açıkça ifade etmek gerekir ki, Viyana muhasarası yıllarına kadar Osmanlı Devleti'nin askerî sisteminin Batı'ya karşı bir üstünlüğü söz konusuydu. Otuz yıl savaşlarında (1618–1648) çarpışan Avrupa ordularının konumuna ve yapısına bakarsak bunu görürüz. Çarpışan Alman ordularında bir birlik yoktu, silahların kullanıldığı bir birlik sistemi yoktu.

Hâlbuki bu orduların yanıbaşında Osmanlıların son derece mücehhez bir merkezî ordusu, kendine has bir sistemi vardı. 17. yüzyılın Türk imajı öyle bizim bazılarımızın tekrarladığı gibi at üstünde kılıç kalkan sallayan bir asker değildir. Türk imajı; düzenli top ve ateşli silahlarla yürüyen yeniçeriler ve sipahilerden oluşan, konvansiyonel silah kullanan bir ordudur.

18. yüzyıl boyunca Avrupa toplumu önemli bir değişiklik geçirmiştir. Bir kere ordular merkezîleşmiş, daimileşmişti. Silah sistemlerinde hafif toplara geçiyorlar, ateşli silahlarda ikinci bir aşama gerçekleştiriliyordu. Buharlı gemiye geçilmemişti; ama bahriye nizamı değişmişti. Bunların hepsi mali yapıda bir değişikliği getirmekteydi. Devlet hayatında merkezî devlet olgusu dolayısıyla daimi çalışan ofisler ve memur sayısındaki artış harcamaların önceden karşılanmasını gerektirmekteydi. Yani devlet merkezî bir hazineye sahip olmaya başlamıştı. Öyle yerel vergi toplama ve yerel harcamalar değil, gelirin giderin denklenmesi söz konusuydu. Bu kolay ve kısa bir süreçte başarılmış değildir.

SON İMPARATORLUK OSMANLI

Bab-ı âli. *A. Ferdinands*.

Bütün Fransa tarihinde Richelieu'nün başbakanlığı dönemince, ondan evvel ve hatta sonra büyük çatışmalar, gerilimler söz konusuydu. Fransa merkezî bir mali sistem kurmuştu. Bu bakımdan Avrupa tarihinde öncü olmuştur ve ileride de olacaktır. Çünkü devam edecek bir üstünlüktür. Osmanlı mali yapısı, mali sistemi, devlet idaresi yavaş yavaş bunu taklit edecektir. Aslında bizim klasik mali yapımız da bunu uyarlamaya çok müsait gibi görünmekteydi. 18. asırdaki sarsıntılarımız ve 19. asırdaki Tanzimat devri dediğimiz dönemi yönlendiren ana saik mali reformdur.

Merkezî orduyu besleyen mali sistemi nasıl kuracaksınız? Kaynakları nasıl yaratacaksınız? Bu bürokrasiyi nasıl meydana getirip besleyeceksiniz? Kanunlaşmanız da, eğitim yapınızı değiştirmeniz de; hepsi buna yöneliktir. Nitekim bizim daha o devirden *Tanzimat* diye anacağımız bu dönemin adını bir Tanzimat çağdaşı, 19. yüzyıl sonu 20. yüzyıl başındaki Britanyalı bir bilgin, "legislation" diye çevirmektedir. Bu bir kanunlaşma, yaşama faaliyetidir.

Osmanlı devleti kanun devleti olmuyordu; kanun zaten var fakat o kanunların kalifiye edilmesi, derlenmesi ve tabiî Batı hukukundaki kodifikasyon biçimine ve hukuk usulü prensiplerine yönelmesi vardı. Bu anlamda da bir hukuki Romanizasyon söz konusuydu. Dolayısıyla bizde Batı hukukunu alış ve uyarlama 20. yüzyıla has bir olgu değildir. Daha evvelden başlamıştır. 20. yüzyılda radikal bir biçimde Kanun-ı Medeni'yi kabul ederek bu süreci tamamlamışız. Bu çok önemlidir. Çünkü önceden ceza kanunlarını Fransa'dan almışız; memurlarınızın cezalandırılması, disiplini, soruşturma sistemleri tamamen oradan geliyor ve bu merkezileşen devlette idare hukukunun mevzuu olan idari işlemler Batı'ya göre biçimleniyor. Bu çok önemli bir unsur. Bu gördüğümüz zevat Osmanlı hukukuyla ilgili ciltler dolusu kitaplar yazıyorsa, sırf kuru meraklarından değil. Çünkü bunun müşterisi var. Yani bizim bilginlerimizle birlikte bu anlamda çok kalifiye hukukçu yoksa da, bunlar da faaliyetle gelişiyor ki bürokratlarımız bu kitapları kullanıyorlar. Ve başlıyorlar...

Bu asırda, medreseden yetişme çok önemli bir hukukçumuz, Ahmet Cevdet Paşa Batı hukukunu da bir şekilde inceleyerek Batı tarzında kodifikasyona giriyor. Bu, Mecelle'dir. Zaten bir sürü dallarda da artık Osmanlı hukuk adamları kendilerini Batı'ya uyarlamaktadır. Bunların en başında eski hukukçular gelir. Mesela kurulan kadı medresesinin eğitiminde ders programı, zamanlama ve konular dahil Batı hukuk fakültelerinin sistemi izlenmektedir. Konular bu anlamda, hukuk mektebinden daha da Batılıdır. Tıp, fen, mühendislik eğitimi dolayısıyla Batı'nın dili geliyor; yani mühendislik ve tıp okumak için Fransızca öğreniyorsunuz.

Fransızcayı ilk önce Tıbbiye kullandı. Bunun akabinde hemen Fransızca tarih ve Fransızca edebiyat okumaya yönelindi, bir memleketin münevverleri tarih ve edebiyat metinlerine yöneldiği zaman ister istemez bu felsefeyi de takip eder. Eğer bu eğitimi ciddi olarak yapmazsanız, ki maalesef böyle bir noksanlık vardır, felsefenin yanlış öğrenilmesi, eksik öğrenilmesi gibi bir durum da ortaya çıkar. Bu da söz konusu olmuştur; ama şunu unutmayalım felsefe için bir noksanımız filolojidir. Yani Osmanlı aydını dünyayı tanımak konusunda bugünküne göre belki daha iyi Arapça, Farsça biliyordu ama arzettiğim gibi mesela bir Yunanca ve Latinceyle Batı tarihini, Batı kaynaklarını hatta Bizans'ı bilmiyordu. Dünyadaki değişiklikleri ve gelişmeleri takip edecek, Çince, Japonca öğrenen uzmanlar yetiştirememiştir. Nihayet dinimizin, kitabımızın dili Arapçadır. Fakat bunun kaynağı olan öbür Sami dillere, dolayısıyla yorum tekniklerine adım atılamamaktadır. Siz 19. yüzyılda ünlü bir İbranca profesörü, müderrisi, üstadı görüyor musunuz? Veya Keldanice dediğimiz dillerin eski metinlerini inceleyecek birini biliyor musunuz? Hayır. Bir yerde insanlığın tarihine yöneliş için teknik bir aşama sayılan arkeolojiye bile ancak 19. asrın ikinci yarısında adım atmışızdır.

İşte bu gibi noksanlar dolayısıyla, Türk Batılılaşması'nda aynen bugün olduğu gibi dünyayı kavrayamama noksanlığı vardır. Bu halen devam etmektedir. Gerçek anlamda Doğu-Batı çatışmasından kaçmanın manası yoktur. Çünkü ordunuzu modernize etmek zorundasınız, yoksa savaşamazsınız. 18. asırdan beri bunu yapıyoruz ve 18. asırda Avusturya ve Rusya askerî tarihinin en parlak generalleri ve subaylarına sahipti ve iki ordu da hep müttefik oldukları halde bize karşı zaman zaman yenildiler, zaman zaman da pekâlâ onlara karşı zaferlerle muhafaza edebilmişizdir kendimizi.

Bu tip bir yenileşmeyi, teknik yenileşmeyi yapmak için ister istemez mali mevzuata, yani hukuka kayacaksınız ve ister istemez o tip kimseleri yetiştirmek için de eğitiminizi değiştireceksiniz. Dolayısıyla Türk Batılılaşması, medresenin dışında ve ona rağmen mühendislik, baytarlık gibi tamamıyla tıbbiyeye, askerî ihtiyaçlara yönelik laik eğitim dallarını içermektedir ve cerrahi hassaten tıbbın içinde çok mutena yerini korumaktadır.

Matematiğin bile asker saflarında ortaya çıkışı, ilk önemli matematikçilerimizin buralardan gelişi bir tesadüf değildir. Demek ki siz Batılılaşmayı isteseniz de istemeseniz de, farkında olsanız da olmasanız da bu sürecin içine girersiniz. Asrın icaplarına uymak zorundasınız. İslam dünyasının içinde ordu ve ciddi bürokrasi sahibi tek devlet sizsiniz. Batı'yla 15. asırdan beri cebelleşen, dolayısıyla da o medeniyeti, o kültürü ister istemez tanımak zorunda olan sizsiniz. Eksik tanıdığınız, hâkim olamadığınız alanlarda etkili olamayacak ve açığa çıkacaksınızdır. Bu şaşmaz bir niteliktir.

Yeryüzünde 19. asırdan beri Batılılaşan, Batı medeniyetinin hücumuna maruz kalan ve onu uyarlamaya çalışan tek ülke Türkiye değildir, Rusya değildir, İran değildir, Japonya değildir. Saymakla bitmez; ama bunların kaçı, ne kadar muvaffak olmuştur? Hâlbuki Türkiye ve Osmanlı İmparatorluğu ayakta kalabilmiştir. Zaman zaman dirilme, yenilenme emareleriyle hayatını sürüklemektedir. Katiyen gerileyen bir toplum değildir. Aynı şeyi öbürleri için de kısmen söylemek mümkündür. Batılılaşma, bu tip bir globalleşme sorunu çok ilginç bir biçimde devam ediyor. Bu bitecek bir süreç değildir. Bu bitmeyen bir değiştirme, bitmeyen bir yenilemedir. Dünyada hiçbir toplumun standartlarını koruyarak yaşama imkânı yoktur. Bunu yapamadığı takdirde bir toplum geri kalır ve sömürülmeye başlar. Bazı önceliklerini kaybeder.

Her zaman verdiğimiz örnek ortadadır: 1899'un, 1902'nin Fransa'sı bugünkü Fransa değildir, bugünkü Fransa o günkü değildir. 1900'lerdeki Fransa, Nobel edebiyat ödüllerini toplardı, herkes okurdu, tıpta öndeydi. Bugünkü Fransa da tabiî doğru düzgün bir Batı ülkesidir; ama herhalde bu asrın başındaki büyük Fransa değildir, gerilediği sahalar vardır. Dolayısıyla kendi yaşam biçimi, kendi kalıplarıyla yoluna aynen devam etme lüksü ve şansı maalesef hiçbir toplum için söz konusu değildir. Çok açık bir şeydir.

Batı medeniyetine adım attığımızın ertesinde şairlik yanında ediblik ortaya çıkar. Bu edib, yani yeni tip Türk yazarı bir kere nesire önem vermek zorundadır. Geçmişten farkı budur. İkincisi politika yapmak zorundadır ve bu yapacağı politikada da ister muhafazakâr ister modernleşmeci olsun toplumun birtakım müesseselerini ele almak zorundadır. Tabiî bunu yaparken de edebiyatın ölçülerini kaçırmama durumundadır.

19. yüzyıl boyunca Türk şiirinin de bu konuda verdiği bir kavga vardır. Bu yüzden Türk şiiri olgun bir daldır. Çünkü bu tip bir kavgayı verebilmiştir. Türk romanı için bu çok erken bir zamandır. 19. yüzyıl romanının o çağda bırakınız dünya çapında bir kariyeri olmasını, belki bizim kendi edebî gelişmemiz içinde bile çok öncü bir rolü olamaması, 20. yüzyıl edebiyat ve romanını adeta kendi başına bırakması, belki de bu tip bir mücadeleyi, iç kavgayı başarıyla tamamlayamamasındandır.

EĞİTİMDE BATILILAŞMA

Osmanlı modernleşmesinin devlet ve toplum hayatına asıl yansıdığı alan hiç şüphesiz ki eğitimdir. İnsanlar hayatlarının önemli bir kısmını eğitim ile geçirirler. Ve bu eğitim onları şekillendirir ve işin esası eğitimle toplumda sınıflar arasında bir farklılık meydana gelir. Bir toplumda en hakiki sınıf ayırımı zannedildiği gibi gelirden veya verilen geçici mevkiden çok, insanların aldığı eğitimle ortaya çıkar. Eğitimle bir toplum homojen, yeknesak yapıda bir kalabalık olmaktan çıkar, fakat aynı zamanda da eğitilmiş ve kitleden bu vasıflarıyla ayrılmış insanlar o toplumu tarihin uzun yolunda götürürler. Onların başarısı ve kitleyle kurabildikleri ilgi, bağlantı, kitleyi ikna gücü, bir ülkeyi ve bir toplumu başarılı bir tarih çağı yaşamaya götürdüğü gibi bunun aksi de mümkündür.

19. yüzyıl boyu ve ondan sonraki zamanda yani 20. yüzyıl ve şimdi girdiğimiz çağda Türk toplumunda belirgin bir şekilde aydın ihanetinden söz edilir. Bu, kitlenin ananesine, hissiyatına aykırı bir

eğitim ve dünya görüşünü edinmiş okumuşlardan söz eden bir düşünüştür. Bunun ne derecede doğru olduğu tartışılır. Biz bunu tartışmak durumunda değiliz. Niçin böyle düşünce ve görüş ortaya çıktı, buna bakacağız.

Bizden evvel tarz-ı hayatını, dünya görüşünü, yaşam kalıplarını değiştirmiş olan Rusya'ya bakmıştık. Trajik bir gelişme, gerekli ama çözülemez bir gelişme; problem bizim için de söz konusudur. Toplum olarak yaşamak, ayakta kalmak, etrafınızdaki düşmanlarla baş etmek durumundasınız. O zaman etrafınızdaki üstünlüğü sağlayan, etrafınızdaki üstünlüğü veren vasıtaları öğrenmek ve tatbik etmek durumundasınız. Bunu öğrenmek ve tatbik etmeye gelince iş o kadar kolay olmuyor. Klasik geleneksel toplumumuzda nihayet bir okumuşun nasıl okuyacağı, nasıl yetişeceği, neleri bileceği, neleri söyleyeceği ve sizin ondan ne beklediğiniz bellidir. Hâlbuki şimdi ortaya çıkan adam başka türlü biri oluyor. Bu okuyup gelen insan artık toplumdaki ananelerin değiştirilmesini söz konusu ediyor. Hatta sizin günlük yaşayışınızı yeme içme âdetlerinizi tenkit ediyor. Bunların Hıfzüssıhha'ya, hijyene uygun olmadığını söylüyor, bunların değiştirilmesini istiyor. Bu toplumda yeni yetişen insan gerekli işgücünü, yani sanayileşen, tüccarlaşan ve merkezîleşen bir toplumda gerekli işgücünü kadınların da sağlaması gerektiğini ileri sürüyor. Bunlar belki sizin alışık olduğunuz görüşler değil; nihayet bu toplumun insanı belirgin bir biçimde düşünce hayatınızda, eğitiminizde başka türlü yollara gidilmesini salık veriyor. Yenilikçilerin her zaman haklı olduğunu da söylemek mümkün değil; ama ne var ki çatışma toplumda başlamıştır.

Osmanlı modernleşmesinin en önemli vasfı, mevcut eğitim kurumlarının yani en başta medresenin hayatın dışına itilmesidir. Medrese ve medresede okuyan insanın artık eğitim hayatında da, mülkî hayatta da, içtimaî hayatta da yerini modern okullar alıyor. Artık yeni reformlar dolayısıyla ortaya çıkan okullar; askerî okullar, Baytar Mektebi, Tıbbiye Mektebi ve Mühendishane gibi müesseseler merkezîleşen orduyu besleyecek, modern bir idareyi, yeni bir maliye sistemini yürütecek bürokratların yetiştiği kadroları oluşturuyorlar. Yüz seneden kısa bir zaman içerisinde bu okullar 15 ila 25 yaş arasındaki gençlerin hayatını işgal etmiştir ve imparatorluğun eliti, seçkinleri buradan yetişmeye başlamıştır.

"Osmanlı İmparatorluğu tarihin son üniversal imparatorluğudur" demiştik. Daha da ilginci bu üniversal imparatorlukta ana unsur Müslümanlar kadar, gayrimüslimlere de el uzatılmaktadır. Dolayısıyla bu okullara üçte bir nispetinde bir gayrimüslim kontenjanı konmuştur. Yani Tıbbiye'de, Baytar Mektebinde, Orman Mektebinde, Mülkiye'de (en başta lise düzeyinde sayılan) ve adeta Amerikan kolej düzeyindeki bir okul gibi olan Mektebi Sultanî ki Osmanlı modernleşmesinin gerçekten çok şahane bir icadıdır ve Ali ve Fuad Paşaların dehasının ürünüdür, bu okullarda da gayrimüslimler için kontenjan vardır. Ve şunu da maalesef üzüntüyle kaydetmek durumundayım ki, Cumhuriyet dönemi böyle bir lise kurma ihtiyacı hissedememiştir. Yani Anglosaksonlaşan bir dünya söz konusudur. İngilizce eğitimi talep eden bir dünya söz konusudur. 19. yüzyılda demişlerdi ki Fransızca gerekli oluyor. Millet Fransızların açtığı mekteplere gidiyor. Amiyane tabirle, "gâvurlaşacaksak onu da biz yapalım" der gibi Galatasaray'ı dışa karşı bir panzehir olarak muhteşem bir şekilde kurup geliştirmiş, bir imparatorluk müessesesi olarak ortaya çıkarmışlardır. O kadar ki gelecekteki Bulgaristan'ından tutunuz Suriye'sine kadar birtakım kopan devletlerin seçkinleri buradan çıkmıştır. Hatta okula burs alarak giren yoksul bir Ermeni çocuğu olan Ohannes Arşaruni ileride Ermeni Patriği olacaktır.

Bizim dönemimizde böylesi Anglosakson eğitimi veren ulusal özelliklerimizi koruyacak kuvvetli bir mektebi devlet kuramamıştır. Bir iki teşebbüs muvaffak olamamıştır. En kısa zamanda elitlerini, kadın veya erkek, siyasi–sosyal elitini yabancı okul kuruluşlarına terk eden toplum olmaktan çıkmamız lazım.

Bazı yeni atılımlar vardır. Yüksek tahsil düzeyinde bunların ne olduğunu ileride göreceğiz. Dolayısıyla Tanzimat asrında bir modernleşmecilik söz konusudur. Bunun üzerinde durduk, ama bu tabiî ki maarifte olmaktadır. İşte milli eğitim diye bir mevhumdan henüz söz edilmemekle birlikte imparatorluğun dili Türkçedir. Türkçenin üzerinde ısrarla duruluyor. Tanzimat'tan önce Türkçe değil miydi? Evet, ama tamamen değildi. Şimdi ise yabancı okullarda hatta gayrimüslim milletlerin kendi okullarında bile Türk diline, Türk tarihi, Türk coğrafyası okutulmaya önem verilmektedir. O kadar ki bunların içinde öncülüğü Yahudi mektepleri yapmıştır. *Alliance Israélite* dediğimiz Fransa'daki bir beynelmilel Yahudi kuruluşu tarafından kurulan bu okullar, ki gayrimüslim dahi değil, yabancı mektep statüsünde olmasına rağmen, Türkçe eğitim, Türk tarihi ve Türk dili eğitimine çok önem vermiştir. Bu bir bakıma Cumhuriyet dönemindeki Tevhid-i Tedrisat Kanunu'ndan evvelki bir atılım, bir aşamadır.

İmparatorluğumuzun hayatında eğitimle birlikte kitlenin eğitilmesi, artan memur ihtiyacının karşılanabilmesi ve devletle halkın arasında artan iletişimi sağlayacak bir mekanizma ortaya çıkmaktadır. Şöyle ki daha evvel tamamen cemaatlerin kendi insiyatifi ve insafına bırakılan Müslüman olsun, gayrimüslim olsun; caminin, kilisenin, havranın yanıbaşında açılan okul —Yahudilerinki Beytmidraş, öbürü kilisenin yanındaki bir okul, bizim mahalle mektebi dediğimiz şey— artık devlet tarafından ele alınmaya başlanmıştır, yavaş yavaş. Ve bu basit okullar, yani ilk kademe okullar üzerine devlet orta öğretime geçmektedir ve rüşdiyeler kurmaktadır. Rüşdiyeler artık kız-erkek öğrencilerin karışık okumayacağı yerler olduğu için erkek çocukların devam ettiği yerlerle kız öğrencilerin okulları ayrılmıştır ve tabiî ki kız okullarının öğretmenleri de değişmektedir. Yani Türk hayatına "muallime hanım" girmektedir. Bu çok önemli bir gelişmedir.

Osmanlı zamanında bir yüksek okul.

1840'lı yıllarda Bulgar halkı milli bir uyanış içindedir. Bulgar olduğunun bilincine varmaktadır. Ve Aprilof gibi bir maarifçi önder Bulgar okullarını açmaktadır. Çünkü Bulgaristan'da üst sınıf, ondan evvel kendini Hellen zannederdi. Yunan okuluna giderdi. Şimdi ise bir Slavlaşma başlamaktadır ve böylece bu okullarda Bulgar öğretmeni o toplumun en saygın, en etkin tipi olarak hayata girmektedir. Bay öğretmenin yanında *Gospoja Uçitelnitsa* da –bayan öğretmen– Bulgar hayatında saygın yerini almaktadır. Bu benzer gelişme Türk toplumu için de söz konusudur ve Türk hayatında muallime hanımın taşrada ve merkezde yerini aldığını görüyoruz ki bu bir *émancipation*'dur, özgürleşmedir. Derhal Tanzimat'ın büyükleri ezcümle Ahmet Cevdet Paşa gibileri harekete geçmiş ve bir *Darülmuallimat* kız yüksek öğretmen okulunu teşkil etmiştir. Bu üniversiteden evvelki ilk yüksek tahsil basamağıdır ve hiç şüphesiz ki Türkiye'nin kültür tarihinde en önemli atılımdır.

Şimdi siz şu gelişmeye bakınız, bizim muhafazakâr dediğimiz, medreseden çıkma Ahmet Cevdet Paşa, öbür tarafta hiç o tip eğitimle alakası olmayan, hariciyeden gelme Mustafa Reşid Paşa gibi bir dâhi ki hakikaten dâhi ve güya onlara rakip görünen Mehmed Emin Ali Paşa ve Fuad Paşa toptan bir şeyler yapıyor. Mehmed Emin Ali Paşa, Mısır Çarşısı'ndaki kapıcılardan birinin oğlu. Fuat Paşa daha üstün sizin bildiğiniz gibi Keçecizadeler'den gelme. Bunların hepsi ahbap; hem birbirleriyle çekişiyorlar, hem de bir işi birlikte götürüyorlar. Ağır bir mobilyayı birlikte taşıyorlar ve hiç kimse kimseye, amiyane tabirle, kazık atmıyor. Bu grubun içinde çatışsalar bile Midhat Paşa da var. Yani ileride belki isabetsiz kararlar alacak olan Midhat Paşa bu dönemin içinde imparatorluğun modernleşmesini inşa edenlerden...

İş o kadarla da bitmiyor. Avusturya ve Rusya'ya karşı ayaklanan Macar ve Polonyalı milliyetçiler, bu büyük mücadeleleri sırasında bir ara Macaristan'da 1848'de müstakil bir cumhuriyet ilan etmelerine rağmen, Rusya ve Avusturya ittifakı tarafından bastırılıyorlar ve Devlet-i âliyyemize sığınıyorlar. Rusya ve Avusturya bunları geri istiyor. Biz vermiyoruz. Ordumuz bile yok, yani üstümüze yürüseler ne yapacağız? 1826'da Yeniçeri teşkilatını dağıtmışız, henüz ordu daha kuruluş safhasında. Ve böyle bir Türkiye, yani İmparatorluk bir direniş içindedir. Bu insanların bir kısmı dinlerini muhafaza ederek burada kalmıştır; bir kısmı da din değiştirerek, ihtida ederek Türklüğü kabul etmişlerdir. İşte size Mustafa Celaleddin Paşa (Kont Borzecki), Nazım Hikmet'in büyük dedesidir. Mustafa Celaleddin (Paşa) adıyla, yeni yurdu ve toplumuna hizmet etti. Haritacılık öğretti ve Karadağ Savaşı'nda mirliva (tuğgeneral) rütbesiyle şehit oldu. İşte size Sefer Paşa (Koscielski), işte size Mehmed Sadık Paşa (Michal Czaykowski), işte size Macar Süleyman Paşa vs. Bunlar bütün bir modern hayatı ortaya çıkarmışlardır. Bunların kızları, eşleri,

SON İMPARATORLUK OSMANLI

çocukları, oğulları hiç şüphesiz ki eski klasik Osmanlı eliti gibi yaşamıyorlar. Kaçgöç kalkmış ve müziğiyle, edebiyatıyla karışık bir cemiyetin içinde büyüyorlar, ama bunlar aynı zamanda da bu memlekette modern anlamda bir milliyetçiliği de neşrediyorlar. Yani milliyetçiliğin ilk kateşizmi Mustafa Celaleddin Paşa'nın *Les Turcs Anciens et Modernes* (Eski ve Modern Türkler) adlı kitabıdır.

Şimdi eğitim hayatı nasıl gelişiyor? Yüksek tahsil kurumlarına dikkat ediniz. Hukuktan, sosyal bilimlerden evvel mühendislik, baytarlık, hekimlik gelişiyor. Bunların yardımcı servis birimleri olan fizik, kimya, biyoloji gibi şeylerin müstakil kültürler olarak örgütlenmeleri ancak 1901'de Darülfünun-ı Osmanî'nin kuruluşuyla olacaktır ve o yüzdendir ki Türkiye'de yüksek tahsil, devletin merkezî organlarından biri olarak teşkilatlanmıştır ve üniversitelerin özerk bir kurum olarak çıkışı çok geçtir. Artı askerî müesseseler her zaman için kendini korumuştur. O kadar ki asker tabiplerin de, sivil tabiplerin de aynı çatı altında bile okusalar silkleri, meslekleri ayrı olarak ele alınmıştır. İşte bu imparatorlukta ordunun da askerî eğitim kisvesi altında askerliğin ötesinde bir eğitimi yönetmesi ananesinin başlangıcıdır. Bunun üzerinde de önemle durmamız icap ediyor.

Dolayısıyla şunun üzerinde ısrarla duracağız. Osmanlı modernleşmesi, eğitimi branşlara, kademelere ayırmıştır ve medrese eğitiminin dışında bir sivil eğitimi geliştirmiştir. Özellikle 19. asrın son çeyreğinde –ki Rumeli'nin önemli bir kısmını kaybettiğimiz devirdir– II. Abdülhamid döneminde Anadolu'da ve Arabistan kıtası dediğimiz Suriye, Ürdün, Filistin, Lübnan ve Bağdat gibi yerlerde yüksek tahsil kurumları ardı ardına ortaya çıkmaktadır. Ve hatta *Darülfünun* kurulduğu zaman Selanik, Beyrut, Bağdat ve Konya gibi yerlerde de hukuk yüksek mektepleri, fakülteleri bir anlamda kurulmuştur. Galiba o zamanki Hukuk Mektebi, bugünkü Konya Hukuk Fakültesi'nin dekanlık makamıdır. Ancak dekana yetecek kadar küçük bir binadır. Bütün bunların yanında mesleki eğitime önem veriliyor. Bu sanayi mektebleri aracılığıyla oluyor. Unutmayın ki Mimar Sinan Üniversitesi Güzel Sanatlar Akademisi'nin daha evvelki adı *Sanayi-i Nefise Mektebi*'ydi. Bu da Fransız örneğine göre bu vakitte ortaya çıkıyor.

19. yüzyıldaki bu eğitim modeli –hiç kuşkusuz ki 20. yüzyıla kadar– belki dünya kültürünün gözlerinin çevrildiği Fransız modelidir ve bu Fransız modeline göre Osmanlı eğitimi modernleşmesini yürütmektedir. Tesadüftür, ama sosyolojideki tesadüflerin bir bağlantısı vardır. Aynı kalıplaşmalar, aynı eğilimler 18. ve 19. yüzyılın Rusya'sında da görülmektedir ve ardından İran'da da takip edilecektir.

Eğitimin halka indirilmesi, yaygınlaştırılması bu asrın önemli bir gelişimidir. Ve Müslüman Türkler kadar, diğer Müslüman unsurları, gayrimüslimleri de kapsar. Şu kadarını ifade etmemiz gerekir; eğitimin kurumlaşmasında ve modernleşmesinde imparatorluğun gayrimüslim milletleri ve Arabistan ve Balkanlar gibi yerlerdeki unsurlar Türklerden daha önde gitmişlerdir. Bunun da neticelerini bilhassa Balkan Savaşı sıralarında ve bu ülkelerde yeni milli devletlerin doğuşunda görmek mümkündür.

DOĞU-BATI KÜLTÜRÜ ÇATIŞMASI

Doğu-Batı kültürü çatışması bizim toplumumuzda 18. yüzyıl sonunda başladı. Bunun resmen terim olarak hayata girişi Tanzimat Dönemi'ne rastlar ve bugüne kadar da devam etmektedir. İnsanlar farklı terimler kullansalar da, farklı sınıflara, farklı dünya görüşlerine mensup olsalar da bu problemin içindeler.

Doğu-Batı çatışması bazılarının zannettiği gibi Türk toplumunda sadece dindarlarla laikler, kendini ileri görüşlü zannedenlerle muhafazakâr zannedenlere has bir çatışma biçimi de değildir. Toplumun bütün kompartımanlarında ters görülen olayların, bütün sıkıntıların sorumlusu bir tür Doğu-Batı çatışmasıdır. Aslında Türkiye toplumu zaman zaman bu kompleksi, bu sıkıntıyı yenmek için kendine telkinlerde bulunmayı bilen bir cemiyettir. Şu kadarını ifade edeyim ki Doğu-Batı türünde bir gerilim sadece Türklere has değildir. Nitekim geçen asırda İran toplumu, bunun adını çok mizahi bir biçimde koymuştur; "depremzede" gibi "garbzede" diye bir tabir ortaya çıkarmıştır. Ama bu Müslüman toplumların modernleşmesine has bir terim de değildir.

Batılılaşma Japonya'da da vardır ve çok daha evvel Rusya'da başlamıştır. Zaman zaman Batı medeniyetinin, hatta Batı yaşam tarzının ayrılmaz parçası sayılan Rusya'da da ortaya çıkmıştır. Herhangi bir içtimai, herhangi bir siyasi, iktisadi gerilimde Rusya'nın münevverleri bu Doğu-Batı terminolojisi çerçevesindeki kavramları ortaya atmakta tereddüt etmez ve vakit kaybetmezler.

Büyük Petro'nun 18. yüzyıl başındaki kökten reformlarından 100 sene sonra bile ünlü Panslavistleri, yani Slavların birliğini savunan, Rus muhafazakâr hayatının, kilisesinin devamını isteyen Aksakov —ki çok önemli bir filozof ve edebiyat adamıdır— "Dönelim, geriye dönelim" diye ünlü şiirini terennüm etmiştir ve bu şiirde Büyük Petro öncesi Rusya'ya dönüşü savunmuştur.

Bu ne garip bir tecellidir: Büyük Petro kendi oğlunu öldürtmüştür; kendi reformlarına, kendi yaptıklarına anlayış göstermiyor, annesi başta olmak üzere muhafazakâr partinin görüşleriyle direniyor ve adeta devlete karşı bir sabotaj yürütüyor diye... Bu kadar pahalıya ödediği bir reformu 100 sene sonra Rusya'nın birtakım düşünürleri gene protesto ediyorlar ve Batı'nın, Batı müesseselerinin alımına karşı ünlü şair Fyodor Tyutçev, "Rusya sizin bildiğiniz ülke değildir" diyor. "Onu aklınla ölçemezsin; çok büyüktür senin aklınla o anlaşılmaz, Rusya'ya inanmak gerekir. Rusya bir iman meselesidir" diyor. Dolayısıyla bunu diyen insanların da hiçbirisi, kasabada yaşayan, kültürsüz görgüsüz adamlar değillerdir. Batı dillerinin birkaçını çok iyi bilen, üstelik normal Batılıdan daha iyi yazabilecek kadar iyi bilen, Batı kültürünü Yunancasıyla ve Latincesiyle hazmetmiş kişilerdir. Ama her şeye rağmen Rusların Batılı olamayacağını ileri süren bir anlayış Rusya'da sadece normal yönetici sınıfın veya Batı'yı özleyenlerin dışında değil, hatta zaman zaman komünist hareketin içinde bile görülmüştür. Nitekim Postsovyet döneminde dahi Rusya hâlâ Batı'ya kuşkuyla bakıyor.

Stalin, bir ülkenin bazı şeyleri başarması gerektiğini ileri sürer ve Rusya'da bir tür içe kapanma da vardır. Bu problem aslında az gelişmiş, çok gelişmiş bütün dünyaya yayılacak bir evrensel çatışma ve gerilim biçimidir. Bugünkü dünyada da halen küreselleşme dediğimiz akım, bunun etrafındaki oldukça mutlak tartışmalar bu tür bir tansiyonun devamıdır. Bizim toplumumuz, bizim devletimiz bu sorunu gelişme aşamaları ve eğilimleri dolayısıyla herkesten daha erken yaşayanlardandır. Yani aşağı yukarı 18. yüzyıl sonu, 19. yüzyılın başlarında biz bu problemi Rusya'yla birlikte yaşayan tek devlettik. Bu sorun ardımızdan İran'a da intikal etti. Japonya'da bunun başka türlü bir çatışma konusu olduğu anlaşılıyor. Şu kadarını da söyleyeyim, bu konudaki çatışmalar için bizim toplumumuzda Japonya'ya yapılan referanslar güvenilmez şeylerdir. Çünkü Japonya'dan bahseden kimseler bu ülkeyi ve tarihini tanımıyorlar; tanımadığımız halde işte kimonosuyla, kendine özgün müesseseleriyle Batılılaşan bir Japonya'dan bahsediyoruz. Hâlbuki Japon Batılılaşması da öyle pek bizim bildiğimiz gibi değil, işin garibi ne Japonların kendileri ne de başka ülkelerin uzmanları Türkiye'yi ve Japon Batılılaşması'nı mukayese etmemize yarayacak bilgileri bize verirler. Çünkü onların böyle bir sorunları yoktur.

Tarihçilikte, bir milletin sadece kendi tarihine kapanıp kalmaması, fakat başkalarının tarihini de tanıması gerektiği anlaşılıyor. Bunu bilmediğimiz ve anlamadığımız takdirde, yani dünya tarihini bir de kendi gözlemlerimizle uzmanca incelemediğimiz takdirde bizden çok verimli bilgiler elde edemez bu toplum.

Son 10 sene içerisinde, Boğaziçi Üniversitesi'ndeki tarihçilerden Japonya uzmanı Profesör Selçuk Esenbel'in bizzat Japon kaynaklarıyla Japon tarihi üzerinde yaptığı tetkiklerden de anlaşılmaktadır ki, Japonya öyle 19. asırda birdenbire Batı'ya açılmış bir devlet değildir. Bu sorunu Esenbel, bizim açımızdan ele alıyor. Japonya'nın Batı tıbbı, Batı hukuku, Batı felsefesi üzerindeki tetkikleri 16. yüzyıldan beri devam etmektedir. Hatta limanlarını Batı gemilerine kapattığı zaman bile babadan oğula devam eden muayyen tercüman hanedanlarıyla tıp kitaplarını, hukuk kitaplarını, felsefeyi çevirmişler, Kant'ı Türk toplumundan çok önce tanımışlar ve muhtemelen çağdaş Rusya da onlar kadar iyi tanımamıştır. Bu gelişmeleri çok iyi bildikleri gibi, 19. yüzyılda fiilen Batı'ya açıldıklarında arkalarında belirli bir kültürel birikim vardı ve bu Japonlar gelenekleri konusunda bazı sahalarda hiç de çok mağrur ve ısrarlı değillerdi. Öte yandan geçirdikleri şok gene kayda değer; pekâlâ biliniyor ki kıyafetlerini değiştirmeye, hatta kısık gözlerinden utanarak onları ameliyat ettirmeye bile kalkmışlardı. O zamanın iptidai şartlarında, 19. asır için bu çok zor bir girişimdir. Japonların ilköğretim yaygınlığı bakımından dünyada istisnai ve erkenci oluşlarının Türkiye açısından gözden geçirilmesi lazımdır. Bizim bu konuları anlamamız için de, sadece kendi tarihî kaynaklarımızı değil fakat aynı zamanda Rusya tarihini, İran tarihini, Japonya tarihini çok iyi tetkik eden uzmanlara ihtiyacımız vardır.

Şurası açıktır; bu memleketlerin içerisinde mesela Rusya Batılılaşmaya başladığı zaman anatomi, kadavra kullanımı konusunda Çar Büyük Petro Hollanda'da bu işlemi görüyor ve Rusya'ya getirmeye karar veriyor. Orada son derece mizahi bir durum da söz konusudur. O zaman kadavra açıkta kesilirdi ve phenol kullanılmadığı için kokardı. Çar, ceset yanındaki erkân, Rusya asilleri burunlarını tuttukları için çok sinirlenmiş, "Bu âlim adam, burada bunu kesip bakıyor da, siz kim oluyorsunuz! Şimdi dişinizle parçalattırırım, oturun, efendi gibi seyredin işlemi" demiş. Düşünün, 18. asırda henüz kadavrayı Rusya'ya getirirken anatomi işi daha yeni yapılıyordu. Kapalı sayılan Japonya'da ise durum enteresandır. Onlar anatomiyi 16. asırdan beri biliyor ve tatbikatını öğreniyor. Mesela Türkiye'de tıp 19. asır başından beri yerleşmektedir. Mutlaka o zamanlar için dünya çapındaki açılımlar, tetkikler, cerrahi teknik geliştirmeler burada olmamıştır, ama buranın tabipleri artık dünyada ne olup bittiğini anlayabilecek durumdaydılar. Bunu bazı seyahatnamelerden anlıyoruz. Mesela Dr. Hüseyin Hulki Bey 1891 yılında kaleme aldığı *Berlin Seyahatnamesi*'nde tüberküloz basilinin mucidi Robert Koch'la olan görüşmelerini anlatıyor, anatomiyi bildiklerini gören Alman meslektaşların nasıl şaşırdığını yazıyor. Mesela İstanbul belediye reisi Topuzlu Cemil Paşa'nın, ki cerrahtır, anılarında benzer durumu görüyoruz. Dolayısıyla Türkiye'de tıp son 50 senede gelişmiş bir dal değildir. Mesela bu konu çok ilginçtir. Türkiye'de *Batılılaşma* lafı edilmeden Türk mühendisliği artık Batı Avrupa'daki teknikleri adım adım almaya başlamıştır ve bunun neticesini bugünün ileri mühendisliğinde görüyoruz.

Batılılaşmamızda ciddi plansızlık dolayısıyla çok geri kaldığımız sahalar vardır. Bunlar bugün halen bir problemdir. Türkiye küreselleşmeden söz eden, ama *globus* denen küreyi anlamaktan henüz aciz bir ülkedir. Yanı başımızdaki ve düne kadar vilayetimiz olan Arap dünyasını tanımak mesela böyledir. Bizler Arap dünyasını İngilizce literatürden takip ediyoruz. Bu konuda babalarımızın ve dedelerimizin Arapça bilgisini, edebiyat bilgisini dahi ilahiyat tetkikleriyle yavaş yavaş kaybettiğimiz için bugün Ortadoğu uzmanlarına sahip bir memleket değiliz. Hâlbuki bu dünyanın içinde yaşıyoruz. Aynı şekilde İran-Fars tetkikleri Türklerin çok yakın zamana kadar, örneğin benim gençliğimde bile Adnan Sadık Erzi, Tahsin Yazıcı, Meliha Ambarcıoğlu ve onların hocaları Necati Lugal gibi bazı önemli hocalarımızın sözleri geçen bir saha olduğu halde, bugün maalesef bizim nesil bu sahaya ilgi göstermemektedir. Hâlbuki biz İran'ı sadece edebiyat dalıyla değil iktisadî yapısı, hukuk yapısı, coğrafyası, yakın ve uzak tarihiyle de bilmek zorundayız. Bu yüzden önemli komşumuzda da ne olup bittiğini bilmiyoruz. Onlar Türkiye'yi daha iyi tanıyorlar. Demek ki globalleşme lafını etmek çek senet kırmak gibi işlemlerle değil, doğrudan doğruya globalleşmek ve kendini tanımakla olur. Ruhunu ve zihniyetini fethedemediğin dünyayı bilemezsin ve dünyayı tanımak ve küreselleşmek sadece para tezgâhının başında oturup işlem yürütmekle mümkün olmayacaktır.

Çok ilginç bir gelişme biçimi şudur: Klasik Osmanlı devrinde Doğululuk-Batılılık kavgası yoktur. Doğululuk-Batılılık kavgasının adı daha ziyade İslamlık ve basit sokak insanının tabiriyle, kâfirler arasındadır. Doğululuk-Batılılık çatışmasının adı ananenin korunması ve ananeden vazgeçmedir. Ve tüm hayatımızda özellikle 19. yüzyılın edebiyatında, mesela Ahmet Mithat'ın Felatun Bey ile Rakım Efendi ikilemesinde bu yozlaşma kavgasını veya kimliğini koruma gayretini görürsünüz.

Doğululuk-Batılılık kavgası, ister istemez, kavgaya katılanların Batı dediğimiz dünyanın değerlerinden vazgeçemeyişini de gösterir. Şurası çok açık bir şeydir. Hiç kimse Batı ilmini, fen-teknik bilimlerini reddedememektedir. Fakat bunları alıp gerisini muhafaza edelim, gibi garip bir kültürel ikilemin etrafında dönülmektedir. Ziya Gökalp bile kültürü "hars" ve "medeniyet" diye ayırıp, "hars" bize ait olan şeylerdir, koruyalım; "medeniyet" de bütüne has şeylerdir demiştir. Daha başka bir deyişle hars onun bulduğu Arapça bir kelimedir; yani Arapların bilmediği, onun yarattığı yanlış bir kelimedir. Çünkü Batı dillerinde kültür toprağı sürmekten, işlemekten gelir. O da bunu hars diye Arapçadan almıştır. Tutunamayan bir tabirdir. Ve işte hars dediğimiz büyükannemizin elbisesi, gelin kızın düğündeki davranışı, yemeklerimiz vesairedir; medeniyet ise telgraf, telefon gibi teknolojik icatlardır. Şimdi bunu nasıl ayıracaksınız?

Süleyman Nazif bunu gayet mizahi bir şekilde tenkid ediyor: "Efendim, gümrükte oturacağız. Gramofon içeri, fakat müzik dışarı. Kumaş dokuma tezgâhı içeri, fakat kumaşın üzerindeki motifler dışarı" gibi. Mesela böyle bir ayrım uygulayacaksınız, ama bu mümkün olmayan bir şeydir. Teknoloji ve teknolojinin kullanımı maalesef tarz-ı hayatımızda değişmeler yaratmaktadır ve bu değişmelerin sonunda yaşadığımız, günlük hayat dediğimiz hayat –gündelik değil– ve bir bakıma bunun yarattığı ananeler, insanların hatta söyleşi biçimleri değişmektedir; gazete okuyan ve gazete yazısı yazan bir münevverin, gazete öncesi münevverin yazısından farklı bir dil kullanacağı açıktır.

Bunun örneğini Batı edebiyatında da bolca görürüz. Dolayısıyla şunun üzerinde ısrarla durmamız gerekmektedir ki bu bir ayırım meselesi değildir. Hiçbir bilinçli aydın sınıfı dahi bu değişimi yaratamaz. Peki, nasıl durulacaktır? Burada bir nevi "çivi çiviyi söker" yöntemi kullanılır. Eğer bugün Amerikan kültürünün etkilerinden şikâyet ediyor iseniz, Batı dünyasının diğer lisanları ve diğer kültürlerine de kapanacaksınız. Yani bizim gençliğimizin İngilizce yanında Fransızcaya, İtalyancaya da itibar etmesi ve hatta eski klasik dillere yönelmesi gerekmektedir. Çünkü bir anlamda Batılılaşma demek Batı'yı temel kültür değerleri olan Latinceyle ve Yunancayla birlikte kavramak olmalıdır. Kimlik silinmesini önlemenin çaresi de kendi kaynaklarımızı öğrenmektir.

Türkiye'deki Hümanist dediğimiz klasik kültürü veren liseler, ki Avrupa'da da bunlar vardır, tabiî ki bu işi Yunanca ve Latinceyle başaramazlar. Bunun yanında Osmanlıcanın, Arapça ve Farsçanın da öğretilmesi gerekmektedir. Çünkü toplumumuzun tarihî ve kültürel dokusu bu beş dil üzerinde yatar ve ancak kültür tarihi kaynaklarımıza insanlarımız ikinci elden rivayetle değil, kendileri yöneldiği takdirde onların ne olduğunu daha iyi anlar.

Osmanlı edebiyatı, Osmanlı şiiri üzerinde bazı eski, kalıp bilgileri ezbere gençlere öğretmekle ne o dünyayı tanıtabiliriz, ne de modern anlamda Türk şiiri yaratabiliriz. İnsanların tarihî kaynaklara, metinlere kendilerinin yönelmelerini ve kendi tetkiklerinden sonra bir yenilik yapabilmelerini sağlayacak bir eğitimi ortaya koymak gerekir. Bu son derecede önemlidir. Bu bakımdan Türkiye'de resmî tarih (pek resmî edebiyat demiyorlar ama) gibi ifade ettikleri sloganları unutmak gerekir. Çünkü Türkiye'de resmî tarih dediğimiz olay veya edebiyatımızın nakledilişi; insanları kaynaklar üzerinde kendi ninesinin, dedesinin, büyük dedesinin diliyle zamanı aşarak, onlarla diyaloga sokacak bir eğitim olmaktan çıkmış, doğrudan doğruya bir nakile dayanır olmuştur. Nakille insanların maziyi müsbet veya menfi değerlendirmeleri ve ileriye yönelik seçimler yapmaları mümkün değildir.

ORYANTALİZM

Türk toplumunda her geçen gün yeni tartışma konuları ortaya çıkıyor; "oryantalizm" denilen şarkiyatçılık da bu aktüel tartışma konularından. Biz maalesef bu gibi tartışmaları zengin malzeme kullanıp etraflıca düşünerek yapmayız. Eski ve yeni moda, şarkiyatçılığın bizim tarihimizi ters yorumladığına inanmaktır. Bu görüşün haklı yanları yok değil; ama sloganlarla Avrupalı şarkiyatçıları karalamak ve hepsini aynı kefeye koymak, bilgisizlikten doğan bir yanlışlıktır.

Son senelerde, 2003 yılında kaybettiğimiz İngiliz edebiyatı profesörü olan Filistinli Hıristiyan Edward Said'in çıkardığı *Oryantalizm* adlı eser, artık etkilerini duyurmuştur. O kadar ki bu eseri izleyenler Edward Said'i adeta zamanın bir mürşidi haline getirmişlerdir. Üzerinde doktora çalışmaları yapılmaktadır. Bu gayet normaldir; fakat işin asıl ilginç yanı bu tip bir düşünce üzerinde durularak Batı Avrupa ve Amerika'nın Şark çalışmalarını değerlendirmeye almaktır. Hiç kuşkusuz ki *Edward Said*'in taraftarları kadar düşmanları da vardır. Kendisine muarız olanların içinde Türk okuyucusunun çok yakından tanıdığı, Türkiye tarihi ve Osmanlılık üzerine önemli eserler yazan ve diyebilirim ki Türklere ve Türk tarihine hayırhah nazarla bakan zamanımızın ünlü doğubilimcisi *Bernard Lewis* de vardır. Bernard Lewis, Edward Said için şu eleştiriyi yapıyor: "Birisi çıksa, eski Yunan araştırmalarının sadece Yunanlılar tarafından yapılması gerektiğini, eski Yunan araştırmalarında sapma olduğunu ve Yunanlı olmayan Hellenizm araştırmacılarının casus ve art niyetli olduğunu söylese, kendisine deli diye bakarız."

Oysa yaşayan Şark ve Şarklılar için ileri sürülen bu gibi görüşler taraftar toplayabilmektedir diyorum. Hiç şüphe yok ki yazarın da, eleştirmenin de sivri tarafları vardır ve bu, zamanımızda Amerika gibi, Şarklıların nezdinde kudret ve kuvvet sahibi ülkenin Şark edebiyatı, Şark tarihi kürsülerini ele geçirme kavgasıdır. Bugün Amerikan üniversitelerinde Filistinliler ve Filistinli taraftarları diğer tarafta da Yahudi veya Yahudi taraftarları arasında bilimsel sınırları, edep sınırlarını hayli aşan bir kavga vardır. İnsanlar bu gibi kavgalarda taraf tutarken sadece akıl hâkim olamaz. Sadece hissî de davranmıyorlar, ekmek parası rol oynuyor. Bu, o ülkenin bir çıkmazıdır. Bizi de fazla ilgilendirmez.

Nedir bu oryantalizm?

"Orient" kelimesinden geliyor. Şark demektir, Şarkbilimi demektir. Doğu bilimi diye çevriliyor. Bunu eskiler *müsteşriklik* diye kullanırlar. Müsteşrik, Türk insanının da, Arap insanının da, İranlının da kafasında soru işaretleriyle anılan, hatta bazen meşum bir karakter, bir portredir. Bu gibi bir portrenin ortaya çıkışında haksız yönler de yok değildir. Size bazı örnekler vereyim, mesela *Lawrence*; Lawrence'ı tanıtmak gerekir. Kendisi Şark dillerini çok iyi bilen bir müsteşriktir, İngiltere'nin en iyi üniversitelerinde okumuştur. Daha ötesi bu İslam, Kuran tefsiri, çağdaş Türkçe, çağdaş Farsça, çağdaş

Arapça gibi sınırları da aşmıştır. Daha eskilere gider ve hatta eski semitik arkeoloji üzerinde de bilgi sahibidir. Zaten çok genç yaşlarda da doğu bölgelerinde bu gibi dinî gezilere ve arkeolojik araştırmalara katılmıştır. Yani kendisi eski semitistik dediğimiz; İbranca, Aramca vs. gibi dilleri de bilir. Dahası var, bugün İngiliz dilinde Homeros'un *İlyada* ve *Odysseia*'sını okumak istediğiniz zaman, halen kullanılan en iyi çeviri Lawrence'ındır. Yani sizin bildiğiniz Lawrence aynı zamanda Batı dillerinde de, bilhassa eski Yunan ve Roma konusunda da esaslı bilgi sahibi bir filologdur.

Bu enteresan adam ömrünü kütüphanelerde geçirip daha fazla eserler üreteceği yerde, kabiliyetini ve muhteşem bilgisini açıkçası bir hayalin peşinde kullanmıştır. Burada onun İngiltere'nin parası veya sırf mevki için bu işi yaptığına inanmak zor. Belki de kişiliğindeki ikirciklenmeden ileri gelen ve onu aşan bir hırs, onu aşan bir gayret ve mesai var. Arapların Türklerden bağımsız olmasına inanmıştır ve bunun için İngiliz istihbaratıyla harp içinde birleşerek, ki zaten kendisi ordudadır ve görevli bir subaydır, albaylığa kadar terfi etmiştir. Çölden geçen, Medine'den kuzeye doğru giden demiryolu katarlarına aşiretleri saldırtmak, sadece askerleri değil sivil halkı da hatta memurları, kadın ve çocukları öldürmek, yağmaya izin vermek, sabotaj faaliyetlerine girişmek gibi her türlü melaneti ifa etmiştir.

Hiç bilinmeyen, unutulan bir şey değildir: Birinci Harb-i Umumi'de bizim Arabistan cephesindeki askerlerimizi karşıdaki düşmandan çok, ayaklanan Arap aşiretleri ve bilhassa Şerif Hüseyin'in adamları zarara uğratmışlardır. Burada cereyan eden olayları Türkler bugüne kadar unutmuyorlar. Aslında unutuyoruz; fakat zaman zaman hatırlamak gerekiyor. Zaten tarih unutulmak için oluşmuş bir mazi, olaylar biçimi değildir. Unutmamamız, bilmemiz gerekiyor.

Lawrence'ın bu meşum karakteri dışında, son derece iyi yetişmiş biri olduğunu söyledik. Daha başka meşum kişiler de var. Bunlardan biri, bazılarımız çok iyi bilir, *Snouck Hurgronje* adlı Hollandalı âlimdir. Kendisi Şark dillerini, sadece Arapça, Farsça değil, uzaktaki kıta Endonezya'nın İslam kültürü ve yerli dillerini de çok iyi bilir. Hukuktan tarihe ve filolojiye kadar yetkin eserleri vardır. Bu zat hatta bir ara sözde Müslüman olmuş ve Hicaz'a gitmiştir. Hac vazifesini yerine getirmiştir, çünkü bunun geçici, sahte Müslümanlık olduğu anlaşılıyor. Ama Mekke'yi ziyaret etmiştir, Arapların içine girmiştir. Bu dünyayı çok iyi tanımıştır.

İslam dini ve Hicaz üzerine yazdıkları elan aranan ve okunulması şart olan makalelerdir. Aynı şekilde Endonezya'yı da çok incelemiştir. Bu muhteşem bilgisini maalesef kötü şeyler için de kullanmıştır. Ayaklanan Endonezya'yı bastırmaya çalışan Hollandalı koloni makamlarına verdiği tavsiye şudur: "Boş yere kabile reislerini ve savaşçıları öldürüyorsunuz. Ayaklanma durmuyor. Aslında ortadan kaldırmanız gereken zümre bunların din adamları ve dinî liderleridir. Bunları yok ederseniz ayaklanma duracak." Bu tavsiyeyi dinleyen Hollandalılar denileni yapmışlar ve tabiî ayaklanma da oldukça yavaşlamıştır. Çünkü kitleler öğretmenden mahrum kalmışlardır. Bu alçakça, meşum tavsiyede bulunabilen adamın da çok önemli bir oryantalist olduğu açıktır.

Peki bütün oryantalistler böyle midir? Hayır. Hiç şüphesiz ki daha yurdundan ayrılmadan Türkçeyi ve Arapçayı öğrenen ve sırf bu dillere hayran olduğu için bu diller üzerinde tercümeler yapan, gramer tetkikleri yapanlar vardır. Hafız ve Sadi ve Firdevsi gibi büyük şairlerin büyüsüne kapılmamak mümkün müdür? Düşününüz ki, onlar aliterasyonu derin, anlamlı büyük şiirlerini yazarken Avrupa halklarının çoğu henüz daha kayda değer bir edebiyat üretmekten çok uzaktılar. Bu halkların çocukları ister istemez Şark'a bakıyorlar; "Yahu bizde bir şey yokken şu büyük medeniyete bak" diyorlar ve o şiirin, o edebiyatın, o tarihçiliğin etkisinde kalıyorlar.

Aklı başında bir insanın İbn-i Haldun'dan, Taberî'den, Reşidüddin'in *Camiü't-Tevarih*'inden etkilenmemesi mümkün mü? Şehristanî'nin *Kitabü'l-milel ve'n-nihal* adında, milletleri ve inançları anlatan kitabı vardır. Avrupa dillerinde birçok tercümesi var. Hıristiyanlık, Zerdüştilik, Maniheizm, Mazdek hareketi ve Yahudilik üzerine bugün dahi okunup bir şeyler öğrenilecek bir kitap. Şehristanî zamanımızın ünlü Yahudi şarkiyatçısı Shlome Goitein'in tabiriyle bu belgeleri kim bilir ne zahmetle toplamıştır. Oysa miladın birinci asrında Roma'da hem de Yunanca ve Latincesi mükemmel Yahudi komşuların ortasında yaşayan *Tacitus*, Yahudiliği bu komşulara sormaya bile lüzum görmemiş; "Yahudiler Kudüs'teki mabetlerinde altın eşek heykeline tapınır", Şabat gününü kastederek "Çok tembel oldukları için de haftanın bir günü hiç iş yapmadan yatarlar" diyor. Profesör Goitein haklı olarak "Beşeriyet, Tacitus'tan Şehristanî'ye ne kadar önemli bir yol kat etmiş. Birisinin (Tacitus) her şeyi görmesi ve öğrenmesi mümkünken Yahudilik için yazdığı şu saçmaya bakın" diyor. "Bir de Şehristanî'nin –12. asırda Horasan'da yaşamıştır– yazdıklarına bakın" diyor. Hakikaten bu kitabı okuduğunuz zaman Hindistan'daki dinler, İran'daki Zerdüşt dini, Hıristiyanlık ve Musevilik hakkında bugün bile işimize yarar doğru bilgiler elde edebiliriz. Ortaçağ İslamı'nın kendinden olmayana, "diğer"ine bakışındaki saygı ve hassasiyet kayda değer.

Bu gibi eserlerin, yani koskoca bir Şark'ın her insanı etkilememesi mümkün değildir ve bu etkileme illaki casusluk yapmak, macera yaşamak, dışişlerine danışmanlık yapmak, petrol şirketlerinden veya istihbarat örgütlerinden para almak için yapılmaz. Hiç şüphesiz ki bu tip insanlar mazide vardı ve bugün de vardır. Bugün bile birtakım insanlar, gençler Batı üniversitelerinde okudukları zaman maalesef *historical engineer*, tarihçi mühendisliği diye bir kavram ortaya atmışlardır. Dileyene istedikleri gibi, parası karşılığında tarih yazıyorlar. Bu tip ikinci sınıf insanların dışında, bilgisi birinci derecede önemli olduğu halde, değindiğimiz üzere Lawrence gibi ya içinde kalan aşırı şoven bir milliyetçilikle veya ruhundaki bazı karanlık noksanlıklar dolayısıyla bu gibi yollara girenler olabilir.

Lawrence'ın İngiltere'ye hizmet etmekle birlikte İngilizliği de pek sevmediği anlaşılıyor, ruhundaki bu boşluğu doldurmak için bu tür maceralara atılan bir kimse olduğu açık. Bu gibi örneklerle bütün bir dalı reddetmemiz, mahkûm etmemiz doğru olmaz. Unutmayalım ki, Cemil Meriç Bey'in deyişiyle, Nadir Şah'ın tarihini Voltaire'nin diline kazandıran insanlara biraz saygı duymak gerekir.

Şurası bir gerçektir ki müsteşriklik, yani oryantalizm dediğimiz dal bilhassa 18. ve 19. yüzyılda insanlığın gayreti, evine kapanması ve aşırı çalışkanlığının neticesi olarak ortaya çıkmış bir daldır. *Radloff*'un at, deve sırtında, çok zor şartlarda uzak Sibirya'nın bozkırlarına dalışını hiçbir şekilde sadece askerî bilgi ve casusluk gereği ile açıklayamayız. Evet o zamanki Rusya, insanları doğuya yollamıştır; ama bu gidenlerin hepsinde bu askerî saik ön planda gelemez. Merak ve saygının da çok büyük rolü vardır. Unutmayınız ki *George Jacob* gibi bazı oryantalistler, Sami dillere olan saygı ve sevgilerinden dolayı kendi mirasları Latince ve Yunancayı bile küçümseyip bir kenara itmişlerdir. Bu gibi eğilimler bugün de vardır. Şu çevirmene saygı duymadan nasıl yapabiliriz: *Friedrich Rückert*, 18. yüzyıl Almanya'sında yaşayan bir oryantalist. Kendisi İran edebiyatını, asıl önemlisi Kuran-ı Kerim'i Almancaya çevirmiş. İran edebiyatından Hafız'ı vs çevirirken, o dilin çeşnisini ve güzelliğini verebilmek için ilk defa ve son defa aruz veznini Almancada kullandı. Yani bugün Rückert'in Almanca çevirilerini okuduğunuz zaman, neredeyse Hafız'ın ve Sadi'nin tadına varıyorsunuz. Bu çok önemlidir. Bu zat, kimsenin casusu falan değildir. Parayı da pek sevmez. Hatta bir ara Berlin Üniversitesi'nde kürsü teklif edilmiştir, çok büyük bir mevkidir. Şehirden, büyük şehirden rahatsız olduğu için gene taşrasına dönmüştür. Rückert'de görünüşte böyle ince şiirleri çevirecek bir simadan daha çok, bir köy kasabının havası vardı. Ama son asırların, belki de bütün zamanların en muhteşem edebiyat, şiir mütercimi olduğuna şüphe yok.

Ünlü Osmanlı tarihçisi ve İranist *Joseph Hammer* de İran edebiyatını Batı'ya yetkiyle tanıtan bir kişiliktir, şair bir adam Hammer. İlhanlı devri İran tarihçisi Vassaf'ın *Tarih* adlı o çetin ceviz Farsça büyük eserini, yani bütün ortazaman İran'ının en büyük tarihî eserini, Almancaya çevirdiği zaman ortalık yerinden oynamıştır. Bu tercüme eserin Avusturya Milli Kütüphanesi'ndeki nüshalarının redaksiyonunu yapacak babayiğit bugün yok bile... Hammer, Hafız'ı; Goethe ve Schiller'in diline kazandırıp, Şark rüzgârlarıyla Alman edebiyatını yerinden oynatmıştır. Goethe bile bu çevirileri okuduktan sonra *Doğu-Batı Divanı* dediğimiz önemli divanını meydana getirmiştir. Ne garip; Rückert Türkçe şiir çevirmedi, Hammer'in Türkçe çevirileri de o kadar etkili olmadı.

Hammer Batılılara ilk defadır ki Doğu'nun rüzgârlarını veriyor. Bunu biz demiyoruz. Bunu Hegel diyor, bunu Karl Marx'ın arkadaşı Friedrich Engels diyor. Bunlar derledikleri bilgilerle Doğu'yu Batı'ya aktaran insanlardır ve bunu yaparken bu toplumlara karşı sevgi demiyorum, zira böyle naif, iyi vahşiye, iyi yerliye yaklaşan bir hava söz konusu değildir. Burada gerçek anlamda bir saygı vardır. O kadar ki Hammer'in mezar taşında bugün bir haç işareti yoktur. Viyana'da Kloster Neuburg'daki mezarına gidip baktığınız zaman görürsünüz, tamamiyle oryantal bir mezar taşıdır.

Cevdet Paşa'nınki gibi yuvarlak bir mezar taşıdır, hassaten İstanbul'daki o devrin ulemasının mezar taşlarını beğenmiştir ve sağlığında mezarın planını kendisi çizmiştir. Üzerinde Arapçayla, "Hüvelbaki" diye başlayan ve "Rahman olan Allah'ın merhametine sığınan üç dilin tercümanı müverrih Yusuf bin Hammer" diye devam eden bir lahittir bu. Burada bir medeniyete yaklaşımın, saygının insanları etkilediği görülür.

Nitekim, Hariciye memuru olan Hammer'in İstanbul'a tayin isteğini, o zamanın Avusturya başbakanı Metternich, "Çok fazla Türkiye'ye düşkünsün" diye reddetmiştir. Burada demek ki bazı hatalara, bazı önyargılara rağmen bir özgün yaklaşım da söz konusudur. Çok ilginç örnekler var ve henüz yeni çevrilmeye başladı. Çağdaş, ilmî Bizans araştırmalarının kurucularından Jacob Philipp Fallmerayer; çok ilginç bir biçimde Osmanlı taraftarıdır. Bu yüzden Hammer'e hayrandır ve yazdığı *Bizans Tarihi ve Bizans Müesseseleri*'nde de bu eğilimi sık sık görürsünüz. O, Osmanlı İmparatorluğu'nu araştırırken Hammer'den çok istifade etmiştir.

20. yüzyılda İslam milletlerinin sadece tarihine değil, siyasi haklarına bile hakkaniyetle yaklaşan *Maxime Rodinson* ve *Claude Cahen* gibileri de vardır.

Claude Cahen, Fransa'nın İslam tarihi ve Selçuklu Türk tarihi alanında yetiştirdiği büyük bir uzmandır. Yahudi bir ailedendir, fakat laik düşünceli bir Fransız olduğunu İsrail devleti kurulduğu zaman yazdığı bir gazete makalesinde; "Yahudi tabiri benim için hiçbir şey ifade etmiyor" cümlesiyle belirtmiştir. Maxime Rodinson gibi Claude Cahen de ne Hıristiyan bağnazlığı, ne de başka bir zincir taşımadan Ortadoğu milletlerinin tarihî hakikatini aramaya çalışmıştır.

Claude Cahen'in okul ve meslek hayatı iyi eğitim görmüş, seçkin Fransız aydınları gibidir. 16 Şubat 1909'da Paris'te doğmuştur. Bir Ecole Normale Supérieure mezunudur. Fransız dışişlerinin, içişlerinin, maliyesinin parlak memurları gibi tarih, felsefe dallarının seçkinleri de bu okuldan çıkar. Bizdeki bazı seçkin okulların aksine, Fransa'nın bu "école"leri çökmez, ama mezunlarının iltifat etmekten vazgeçtiği müesseseler için çöküntü başlangıcı söz konusudur.

Claude Cahen 1931'de Ecole Nationale des Langues Orientales'in Türkçe-Arapça bölümünden mezun olmuştur. Şark dillerinin hakkıyla okutulduğu bu okulda o sıralar Adnan Adıvar da Türkçe lektörüydü ve galiba Iréne Mélikoff, Bernard Lewis, Andreas Tietze, Louis Bazin gibi ünlü öğrencileri, ünlü gramerci Jean Deny'den daha fazla etkileyen unutulmaz bir hocaymış. Claude Cahen bütün seçkin Fransızlar gibi lise profesörlüğü imtihanını kazandı ve 1936-

1937'de Türkiye'de araştırmalar yaptı. 1940'ta bence her tarihçinin okumak zorunda olduğu ünlü eseri *Haçlılar Devrinde Kuzey Suriye* basıldı. Bu eserde şahane üslubu ve dili okuyucuyu etkiler, vesika ve delilleri sıkıcı olmaktan çok, Ortaçağ'ın Ortadoğu'suyla sıcak bir ilgi kurmayı sağlar. Eser halen Türkçeye çevrilmedi, hoş Fransızca kaleme aldığı *Osmanlı Öncesi Türkiye (La Turquie préottomane)* adlı eseri de Fransa'dan önce İngiltere'de İngilizce çıkmıştır. Çokbilmiş bir mütercimimiz bu eseri nedense; *Osmanlı'dan Önce Anadolu'da Türkler* diye çevirdi. Bazı mütercimlerimizin dar tarih dünyaları içinde orijinal başlıkları değiştirmelerine bu ilk örnek değil.

Cahen'in bizim milli tarihimize yaptığı en önemli hizmet bu eserdir. Kalabalık sayıdaki makale ve kitapları Türkçeye çevrilmelidir. Onu 1980 yılında Société Asiatique'in başkanı olarak tanıdım. Hiç de cazip fiziği olmayan bu ünlü bilgin, daha ilk kelimede ve ilk mimikte insanları zekâsıyla çarpıyordu. Bu çarpma da ezici olmaktan çok, bir tevazu içeriyordu. Nükte yeteneğinin sonu yoktu ve nüktedan kişilere de bayılıyordu. Kasım 1991'de öldü. Yetiştirdiği öğrenciler de bugünkü Fransa'nın Şark'a en açık uzman zümresini oluşturuyor.

* * *

Oryantalizm dendiği zaman, hiç şüphesiz ki akla gelen bir konu resimdir. Yani 19. yüzyıl resmidir. Yalnız burada, tarihî gerçeklik açısından bir ayırım yapmak zorundayız: 19. yüzyıl Fransız ve diğer Batılı ressamları ön planda gördükleri yahut görmedikleri Doğu'yu abartarak resmetme eğilimindedirler. Hatta bunlardan *Delacroix* ve *Ingres* gibileri bu eğilimin öncüsü sayılabilirler. Bunlar şüphesiz ki dâhi insanlardır. Şark'ın renklerini, hatlarını bazı yerlerde doğru olarak yakalayabilmişlerdir. Fakat onun ötesinde mevcut hayatı abartma yoluyla resmediyorlar ki, bunlar fantezidir. Hiçbir zaman bir gerçeklik olarak alamayız ve bu resimler saygın yorumlar da değildir. Buna karşılık Şark'ın içinde yaşayan ve onu olduğu gibi resmeden ressamlar da vardır.

Mesela bizim ülkemizde yaşayan aslında Maltalı olan *Preziosi*. Buradaki resmetmeler, takdirler de hayatın gerçekliğinde veya *Fausto Zonaro*'da olduğu gibi ön planda rol oynamaktadır. Bugün için büyük ölçüde bunlar aslında tarihçilik açısından da güvenilir kaynaklardır. Keza İstanbul'da çok az kaldıkları halde *Ayvazovskiy* ve bilhassa "Pompei'nin Son Günleri" adlı ünlü tablonun ressamı Rus *Karl Brulov*. Onun yaptıklarında da, çok ilginç bir şekilde fantastik olmaya çalışsa bile, bir realite vardır. Yani bunlar çevreyi, adeta hiç yabancı olmayan bakışlarla gören ressamlardır.

Oryantalizm, hem edebiyatta, hem plastik sanatlarda 19. yüzyıl Batı'sının Doğu'yu nasıl görmek istediğini yansıtır. Hiç kuşkusuz ki doğru, gerçekçi olarak görenler de vardır. Bunu ayırt etmek çok kolay değildir. Ressam olmak, resim bilmek yetmez. Tarihi de bilmek gerekiyor. O bakımdan bu gibi değerlendirmelerde bulunmak için hiç şüphesiz ki ciddi çalışmalar ve grup çalışmaları yapmak gereklidir.

Demek ki oryantalizm, muhtelif fikirlerdeki, muhtelif yaklaşımlardaki insanların meydana getirdiği bir disiplindir. Ne var ki bu disiplinin içinde kötü diyebileceğimiz, meşum diyebileceğimiz davranışlar, hareketler olabilir. Hatta bu gibi bilginlerin hayatının belirgin bir döneminde bu gibi eğilimlere rastlanabilir. Ama her şeye rağmen doğru şekilde bu duyguyu götüren insanlar da vardır.

Çağdaşımız ve birçoğumuzun hocası olan *Prof. Andreas Tietze* Avusturyalı ünlü sanat tarihçisi *Hans Tietze*'nin oğludur. Şimdilerde onun sayısız çalışmaları, lügatleri dışında Türk dilinin etimolojik lügati çıkıyor. Hazırladığı eseri biz henüz basmaktan aciziz. Etimolojik lügat yedi cilt olacak. Türkçenin etimolojik lügatini, yani kelimelerin kökenini gösteren lügatini, biz yapamamışken *Andreas Tietze* yapmışsa, ona ancak şapka çıkarılır ve heykeli dikilir. Dolayısıyla "oryantalist" örgüsü etrafındaki bu gibi toptancı yaklaşımların sıhhatli olmayacağı açıktır. Hiç kuşkusuz ki Türkler ve diğer âlemler hakkında kötü işler yazmaya, kötü amaçlı bilgiler kullanmaya hazırlanan insanlara karşı uyanık olmalıyız. Ama bunun dışındakileri de düşünmeliyiz.

İşin çaresi aslında bizim de garbiyatçı, yani oksidantalist olmamız. Garp âlemini, Hıristiyanlığı, onların tarihini, hukuki, sosyal yapılarını incelememiz gerekir. Biz İngilizceyi ve Fransızcayı biliyoruz; o medeniyetin kökü olan Yunanca ve Latinceyi bilmiyoruz. Biz o âlemin tarihini, coğrafyasını, hukuki yapısını bilmiyoruz. Bizim bildiğimiz Batı kültürü ve dillerini İskenderiye limanındaki hamallar, tercümanlar ve rehberler de biliyorlar. Bunun dışında bir oksidantalizme yönelmediğimiz takdirde, bu gibi komplekslerden kurtulamayız, ki bunu son zamanlarda Ürdün'ün akıllı, eski prens veliahdı Hasan bin Talal da söylüyor. Birbirlerini tanımayan, birbirlerinden şüphe eden kitlelerin bulunduğu yerde ne sulhüsalah yani barış, ne de onurlu bir eşitlik olur.

PAYİTAHT BURSA

Bursa, Osmanlı'nın ilk payitahtı ve hakikaten ecdad şehridir. Çünkü İstanbul'un fethinden önce Edirne ve Bursa adeta Avrupa ve Asya'daki iki başkent konumundaydı. Osmanlı Edirne'yi de camilerle donattı ve güzelleştirdi. Hatta 16. asırdan sonra Bursa'ya gidip yerleşen, orada vakit geçiren padişah yoktur; ama sık sık İstanbul'dan kaçan Osmanlı padişahları Edirne'yi kendilerine mekân edinmişlerdir. Mesela II. Selim'in ünlü camii *Selimiye* Osmanlı klasik devrinin en ünlü eseridir. II. Selim, Selimiye'yi Edirne'ye yaptırmıştır. Niçin? Rivayete göre artık İstanbul'u terk etmek ve Edirne'ye yerleşmek yani orayı payitaht ilan etme zamanı gelmiştir diye düşünmüştür. IV. Mehmed Edirne'yi terk edip de İstanbul'a pek gelememiştir. Kendisinden sonraki padişahlar içinde, mesela II. Ahmed, şehzadeliğini ve veliahtlığını İstanbul'da Topkapı Sarayı'nda geçirmiştir. Sarayın dışına pek çıkamamıştır. Çıktığı zaman da zaten Edirne'ye tahta çıkıp gitmiş ve oradan da gene naaşı geri gelmişti.

Gene aynı şekilde Sultan II. Mustafa saltanatını Edirne'de sürdürdü ve o meşhur isyan sonunda da saltanatı orada bitti.

Taht şehri Edirne'nin 1912–13 Balkan Savaşı sonunda, büyük ve çok zorlu bir müdafaadan sonra elden çıkışı milli bünyede, başkentte halk arasında, İslam dünyasında çok olumsuz intibalar meydana getirmiştir. Bu zorlu müdafaada *Edirne müdafii Şükrü Paşa* gerçekten ünlü ve önemli bir komutan olduğunu göstermiştir. Türk askeri de bozgun zamanında bile dayanıklı olduğunu, emre itaat ettiğini orada göstermiştir. Çünkü kuşatma altındaki ordu Balkan Savaşı'nda ağaç kabuklarını yiyerek dayanmıştır. II. Balkan Savaşı sırasında Enver Paşa tarafından —ki o zaman henüz paşa değildi— Edirne'nin istirdadı (geri alınması), Yunanlıların bölgedeki meşguliyetinden istifade ile tekrar fetih diyelim, o derecede büyük bir moral yüksekliğine sebep olmuştur.

Bununla birlikte Osmanlı ailesinden hemen hemen hiç kimsenin Edirne'de türbesi bulunmaz. Osmanlı ne yapıp etmiş, mutlaka son istirahatgâh olarak kendisine Bursa'yı seçmiştir. O kadar ki İstanbul'un fethinden sonra buraya artık türbeler yapılmaya başlanmış, padişahlar buraya defnedilmiş ve şehzadeler bile Şehzade Cem olayında görüldüğü gibi, buraya defnedilmiştir. Osmanlı'nın bu talihsiz şehzadesi son istirahatgâh olarak Bursa'yı seçmiştir. Bursa bizim için çok önemlidir. Etrafındaki yaylaları ile bir kışlak olarak, adeta Anadolu içlerinden gelen Türkmenlerin devlet hayatına intibakını ve —Roma İmparatorluğu'nun tarihteki rolünü üstlenerek— dünya tarihi içinde yerlerini almalarını sağlayan bir makam, bir kuruluş merkezi olmuştur. Hepimiz biliyoruz ki Bursa çok güzeldir. Romantik bir görünümü vardır; yeşilliklere yazın inanılmaz bir sıcaklık, fakat o sıcaklığı götüren bir esinti, kışın da bazen bir sis hâkim olur, çok daha güzeldir.

Benim kuşağımın gençliğinde bile Bursa'nın etrafındaki meyve bahçeleri, tarım alanları bu güzelliği tamamlayabiliyordu. Maalesef

SON İMPARATORLUK OSMANLI

Mehmet Çelebi Türbesi. *G. Presbury.*

Bursa büyüyen Türk sanayiine kurban edilen bir mücevher oldu, diyebiliriz. Bildiğiniz gibi bu bölge klasik Yunan-Roma devrinde *Bitinya* diye anılır ve Uludağ'a Türkler ilk zamanlar *Keşiş Dağı* derlerdi. Bu Olimpos Dağı da mitolojide yer alanlardan biridir. Bu Yunanistan'daki Olimpos'la karıştırılmamalıdır. Bitinya havzasını Türkler Osmanlı'dan önce almışlardır. Fakat elimizden çıkmıştır. Osman Gazi kuşatmanın son gününde ölüm döşeğinde Bursa'nın düştüğü haberini duymuştur; şehri kalıcı olarak alan onun oğlu Orhan Gazi'dir. Dolayısıyla bu andan itibaren Bursa, küçük Osmanlı Devleti'nin başkenti olmuş ve Orhan Gazi'den itibaren kısa zamanda –50 sene içinde– bir Balkan İmparatorluğu haline dönüşen Osmanlı Devleti'nin unutulmaz güzel payitahtı olarak kalmıştır.

Bursa'nın ticari hayatta çok önemli bir yeri vardır. Evvela dokumacılıkta ihracat ve ithalat merkezi olarak isim yapmıştır. Nitekim şehrin içinde doğru düzgün bir araştırma yapılsa, içinde yabancı milletlerden tüccarlara ait sayısız mezarlık bulunacağına hiç şüphe yoktur. Zaten evrakı, yani şehrin sicillerini karıştırdığımız ve seyahatname literatürüne baktığımız zaman Bursa bütün Akdeniz dünyasının, hatta uzak İran ve Rusya'nın tüccarlarının hayranlıkla gelip yerleştikleri, gözledikleri, gezdikleri bir belde olmuştur. Şehrin hayatı ve buradaki servetler Osmanlı hayatının içinde ölçülmez nispetlere ulaşmaktaydı. O kadar ki sicilleri tutan Eflatun gibi bir mahkeme kâtibine bile diğer beldelerde rastlamak pek mümkün olmamaktaydı. Hiç şüphesiz ki şehrin kendi eğitim hayatı dışında uzak Orta Asya'dan ve başka yerlerden gelen âlimler burayı doldurmaktaydılar. Gene aynı şekilde Osmanlı dünyasının dört bucağından gençler Bursa'ya akmaktaydı. Bursa, İstanbul'un fethine kadar da, bu önemli konumunu muhafaza etmiştir. Bizim bugün üzerinde durmak istediğimiz şehir, 19. asırda gelişen modern Osmanlı sanayiinin de merkezi halindedir. Hepimizin bildiği gibi Bursa'nın merkez olduğu eyaletin adı Hüdavendigâr'dır. 19. yüzyılda bu vilayete bugünkü Balıkesir, Çanakkale, İzmit, Kütahya ve Eskişehir'in bir kısmıyla Bozüyük de dahildir. Bu büyük vilayetin çok zengin bir ziraate sahip oluşu yanında manüfaktür dediğimiz ev ekonomisine sahip olduğu ve nihayet ilk Osmanlı sanayi tesislerini de başarıyla inkişaf ettirdiği malumdur. İstanbul'a yakınlığı dolayısıyla Bursa, bütün Osmanlı devri boyunca payitaht İstanbul'la iç içe yaşamıştı. Uleması İstanbul'la temas halindeydi, sanatçılar İstanbul'la temas halindeydi, dergâhlar İstanbul'la temas halindeydi.

O kadar ki Bursa'nın camilerini ve mezarlıklarını gezdiğiniz zaman bile buradaki sanat ve mimariyi İstanbul'daki düzeyden ayırmak pek güçtür. Hiç şüphesiz ki Osmanlı'nın bunaldığı zamanlarda, kendi kuruluşunu, o romantik, sağlam, kahraman dönemlerini hatırladığı bir yerdir. Nitekim II. Abdülhamid Han, hiç uğramadığı halde Bursa'ya çok önem vermiş ve devletin kurucuları Osman Gazi ve Orhan Gazi'nin mezarlarını da görkemli türbeler halinde inşa ettirmiştir. Bu şehri gezdiğimiz zaman hiç şüphesiz ki Yeşil Türbe ve civarında ilk Osmanlı sanatının görkemli ve o güzel tabiatla uyuşan

Osmanlı zamanında Bursa. *W. French.*

halini ve devletimizi adeta ikinci defa kuran Çelebi Sultan Mehmed'in türbesini ziyaret ederiz.

Şehrin en önemli mabedi Ulu Cami ve etrafındaki çarşılar, bugün dahi Türk ticaret ve sanat hayatında önemli yerlerdir. Yani İstanbul'daki Kapalı Çarşı'da bile bulamayacağınız bazı şeyleri Bursa'daki Kapalı Çarşı'da, Ulu Cami etrafındaki Bedesten ve İpekçiler çarşısında bulmanız mümkündür. Şüphesiz ki tekstil dokumacılık alanındaki bu mühim şehir, tarihi boyunca da bu özelliğini muhafaza etmiştir. 1424 ve 1427 arasında yapımı tamamlanan Muradiye Camii, yani II. Murad'ın ilk dönem Osmanlı sanatına hediye ettiği bu eser dikkati çeker; Muradiye Camii iki katlıdır ve ikinci katta medrese yer almaktadır. İnsan bu camiyi gezdiği zaman uzak İtalya ile, Mısır ile, Suriye ile Osmanlı ülkesi arasındaki sanatın yakın ilişkilerini gözler. Demek ki Bursa canlı bir kültürel alışverişin ortasındaydı.

Bu caminin etrafındaki türbeleri gezmemiz gerekiyor. İşte Şehzade Ahmed'in türbesi. II. Bayezid'in bu son derece akıllı ve âlim oğlunun Arapça siyaset bilimi üzerine bir risale kaleme alacak kadar bu dile ve siyaset ilmine derin bir vukufu vardı. Zannediyorum bu eser Amerikalı Osmanist Cornell Fleischer tarafından da bir miktar işlenmiş ve tanıtılmıştır.

Şehzade Ahmed şüphe yok ki Bayezid'in oğulları arasındaki taht kavgasında telef olmuştur. Tarihimizin gelişimi ve talihimiz, adeta Yavuz Sultan Selim gibi bir mareşali Osmanlı tahtı için bu âlime tercih etmiştir. Yavuz Sultan Selim'in de bilgi, ilim ve zarafette aslında kardeşi Şehzade Ahmet'ten pek geri kalır bir tarafı yoktu.

İkinci türbe çok talihsiz bir olayı, bir saray entrikasını ve Osmanlı tarihiyle uğraşanların ve bütün Türklerin hem o gün hem bugün hayıflandığı bir olayı yazmıştır. Kanuni Sultan Süleyman'ın büyük oğlu, ulu Şehzade Mustafa'nın türbesidir bu. Bir saray entrikası ve kendi taviz vermez karakteri yüzünden o da bu şehzadeler arasındaki taht kavgası ve entrikada çok erkenden sahneden çekilmiştir. Kanuni Sultan Süleyman gibi zarif, müşfik bir mareşalin iki oğlunu katlettirmesinde herhalde trajik bir neden vardı. Bu içinden çıkılmaz ve çözülmez bir durumdur ve yapıdır; yani Devlet… Kendi sağlığında imparatorluğu götürecek bir şehzadeler kavgasına müsaade etmek istememiş ve neticede tevekkül içinde hayata sabırla bakan Şehzade Selim kalmış ve II. Selim olarak tahta geçmiştir.

Hiç şüphesiz ki buradaki türbelerin içinde bizi en çok hayıflandıran Cem Sultan'ınkidir. Fatih'in sevdiği, bu hem âlim hem zarif bir şair hem de çok iyi bir asker olan oğlu Şehzade Cem maalesef biraderi Bayezid'le olan taht kavgasında ölümden beter bir 12 yıl geçirmiş; önce Rodos şövalyelerinin eline düşmüş, oradan bütün Avrupa'yı neredeyse şato şato gezmek zorunda kalmış ve sonunda Rönesans tarihinin en ahlaksız yöneticilerinden sayılan Papa Alexander Borgia'nın, ki kendisi bir zehir uzmanıdır, Fransa kralının eline

Ulu Camii ve kentin bir bölümü. *Freeman.*

geçmesin diye gizlice zehirlemesiyle –muhtemelen Sultan II. Bayezid'le olan anlaşma nedeniyle– hayatını kaybetmiştir. Böylece ulu şehzadenin 12 yıllık hüzünlü hayatı sona ermiştir.

Bu andan itibaren de taht için bir rakip ve siyasi bakımdan bir yara olarak görülen Cem Sultan tekrar hanedanın evladı olmuştur. Hem padişah hem devlet cenazesini bağrına basmıştır ve naaşı o zamanın şartlarına rağmen Bursa'ya getirilip bu türbeye gömülmüştür.

Kardeş katli 16. yüzyıl dünyası içinde hemen hemen bütün hanedanları şu veya bu ölçüde sarmıştı. Ama Osmanlı devlet geleneği içinde taht kavgasına cevaz verilemezdi; çünkü bunun halk arasında yaratacağı tahribat sonsuzdu. Dolayısıyla nizam-ı âlemin bozulmasındansa "ya devlet başa, ya kuzgun leşe" denmiştir. (Bunun eski Roma geleneğindeki karşılığı *"aut Caesar aut nihil"*dir.) Şehzadelerden birisinin kesin olarak ve iç harbe cevaz vermeyecek şekilde tahta sahip olması diğerlerinin katlini gerektirmişti. Bu âdet, ancak I. Ahmed'in kafes usulünü yaratmasıyla 17. yüzyılda bir nebze azalmıştı; ama 17. yüzyılda da, 18. yüzyılda da bu gibi olaylar görülmekteydi. 19. yüzyılda Tanzimat asrında ise *veraset*, ekber evlada, en yaşlı üyeye kalmak şartıyla bir çözüme bağlanmıştı.

Dolayısıyla *kardeş katli* dediğimiz bu olayı, yani 15. ve 16. asırdaki şehzade katlini böyle görmemiz gerekiyor. Nitekim 16. yüzyıl sonunda İstanbul'a gelip Ayasofya Camii'ni, II. Sultan Selim türbesini ve III. Murad türbesini gezen bir Alman papazı Salomon Schweigger bu gerçeği bugünün yazarlarından, tarihçilerinden ve bazı kimselerden daha iyi anlamaktadır. Kullandığı tabir şudur: "Gökte nasıl bir güneş varsa, Türk imparatorluğunda da bir tane senyör vardır. Bundan başkasına cevaz verilemez. Galiba toplumun ve devletin dirliği buna bağlanmıştır."

Hiç şüphesiz ki Bursa, şehzade türbelerinin dışında, Ulu Cami, Sultan Bayezid Camii, Yeşil Türbe ve modern kesim sayılan Çekirge'si ve nefis manzaralardan ibaret değil. Bursa'nın etrafındaki Cumalıkızık dediğimiz köy, çünkü birkaç tane Kızık köyü vardır ve müstahkem yerleşke adıdır, görülecek ve Türklerin tarihî serencamını açıklayacak yerlerdir. Çünkü devlet ve millet hayatının ilk sağlam başlangıcı burada atılmaktadır. Bu yöreyi bildiğimiz ve bu yöreye sahip çıktığımız ölçüde kurulan vatanın ne olduğunu hem tarihte hem şimdi anlar ve geleceği de ona göre inşa ederiz.

SERHAD ŞEHRİ EDİRNE

Tuna ve Meriç nehirlerinin kesiştiği bölgede, resmen miladın 125. yılında İmparator Hadrianus tarafından kurulmuştur; *Adrianapolis* yani *Adrine* ve nihayet *Edirne*...

Türklerin ilk zamanlarında Adrianapolis'e, bundan dolayı Adrine denildi, yavaş yavaş Adrine, Edirne'ye çevrildi. Hiç şüphe yok ki bu kuruluş dönemindeki ilk başkentimiz sempatik ruhani havalı Bursa'dan sonra, imparatorluğun ikinci başkentidir. Hep böyle kalmıştır. Çünkü Edirne'nin güzel mimarisinin dışında asıl önemli yönü, Avrupa'ya hareket eden orduların, Balkanlar'ın iktisadiyatına hareket getiren kervanların geçtiği, konakladığı önemli bir merkez oluşudur. Şehrin rutubetli havası dışında muazzam bir açılımı, etrafındaki ormanlığın getirdiği bir güzellik vardır

Edirne'ye bugün *serhad şehrimiz* diyoruz. Aslında bu tabir II. Meşrutiyet daha doğrusu Balkan Savaşı yıllarında ortaya çıkmıştır. İmparatorluğun Yanya, Kosova, İşkodra, Manastır gibi şehirlerini ve

Selimiye Camii.

vilayetlerini bir yıl içinde kaybettikten sonra süratle Anadolu'nun içine çekilmişiz ve Meriç nehri bizim için sınır olmuş. O kadar ki bir ara Bulgar ordusunun başında bulunan General İvanof, 40 bin askeriyle şehre girmiş ve birkaç ay süreyle burayı işgal altında tutmuştur. Ne var ki ikinci safhada Yunan, Bulgar ve Sırplar arasındaki çekişme ve savaş durumundan istifade eden ordumuz, o zaman yarbay olan Enver Bey komutasında şehri yeniden geri almıştır. İşte o gündür bugündür Edirne artık Türklerin elindedir. Büyük Harb'in sonunda mütareke yıllarındaki son işgalden sonra da bir daha elden çıkmayacak ve imparatorluğun ve aynı zamanda Türk kültürünün batıdaki sınırı olacaktır. Bugün neresinden baksanız Yunan ve Bulgar sınırıyla temasa gelen şehir, çok uzun yıllar imparatorluğun Rumeli'deki başkentiydi...

Çok açıktır ki Tuna ve Meriç nehirlerinin kesiştiği bu bölge rutubetli ve sıcak olur. Buna rağmen etrafındaki arazinin açıklığı, son derece hoş tabiat ve ormanlarıyla başkent İstanbul'un gürül-

SON İMPARATORLUK OSMANLI

tüsünden, sorunlarından bunalan birçok padişahın yerleştiği yer olmuştur.

II. Selim Edirne'yi çok severdi. O yüzdendir ki ünlü camiini, Osmanlı mimarisinin zirvesi ve Koca Sinan'ın en büyük eseri sayılan Selimiye'yi burada yaptırmıştı. Herkesin bildiği gibi 1567–1574 yılları arasında yapımı devam etmiştir. Bu nadide eser sadece Osmanlı Rönesansı'nın değil, aslında 16. asrı kapsayan Rönesans'ın da çok nadide eseridir. Burada Doğu ve Batı bütün incelikleriyle, dâhi bir mimar ve dâhi ustaların, yaratıcıların süzgecinden geçmiştir. Selimiye çok uzun yıllar ihmal edilse de, kendisini yaşatan millet olmuştur.

Şehre yaklaştığınızda Selim Sultan Camii, "Selimiye" görülür. Minareleri adeta birbirinin arkasına gizlenirler. Bu koca kütle adeta bir köpük gibi, bir piramit gibi görünümüyle dünyada mimaride bir devrim yapmıştır. Unutmayınız ki 1912–13'ün o meşum kışında şehri işgal eden Bulgar ordusu burayı depo, hatta ahır olarak kullanmıştır. O meşum 1912–13 kışından, Balkan Savaşı'ndan beri, Edirne'den *serhad şehri* diye bahsedilir... Herhalde 19. yüzyılın sonundaki Osmanlı tebaasından bir memura, hatta halktan birine "sınır burada bitecek" deseniz, size güler ya da acayip acayip bakardı. Çünkü Edirne'nin serhad şehri olacağı kimsenin aklına gelmezdi.

İşte bu meşum günleri tekrar yaşamak istemeyen Türkler Edirne'nin üzerine çok titrerler. Bugün bir sınır şehrimizdir. Sınır şehrinin imkânsızlıklarına ve imkânlarına sahiptir. Dünya ile iyi geçindiğimiz vakit gelişir. Dünya ile iktisadiyatımız kapandığı zaman o da içine kapanacaktır. Şu kadarını söylemek gerekir; Selimiye aslında bir ispattır.

Hocamız Halil İnalcık şehrin fethini 1358, bir kısım tarihçiler 1360 olarak kabul ederler. Bana da 1358 yakın ihtimal gibi görünüyor. Çünkü Rumeli'nin fethinden, yani Gelibolu'nun ve o yarımadanın ele geçirilmesinden sonra Edirne'ye yönelip onu almak fazla zaman gerektirmemiştir. Edirne yazlık başkent olarak süslenmeye başlanmıştır. Şurası gariptir; selâtin camii dediğimiz padişah camileri ile donanan bu şehirde gömülen bir padişah yoktur. Hatta II. Ahmet, II. Mustafa gibi bu şehirde vefat edenler bile büyük şehre nakledilmiştir ve ilk dönemin sultanları ne yapar eder baba ocağı, taht şehri Bursa'ya gömülürlerdi. Buna talihsiz Şehzade Cem Sultan da dahildir. Naaşı Avrupa'dan Bursa'ya kadar getirilip ebedi istirahatgâhına gömülmüştür.

En göze çarpanlardan birisi Yıldırım Bayezid Han'ın oğullarından biri olan Musa Çelebi tarafından 1410'da yaptırıldığı öne sürülen Üç Şerefeli Camii'dir. Burada da sanat tarihi münakaşaları başlar. II. Murad Han'a mal edip, doğrudan doğruya 1437'ye tarihlendirenler de vardır. Unutmayalım bu cami, her şeyden evvel büyük avlusuyla dikkati çeker ve Osmanlı mimarisinde bir aşamadır. Ve artık Edirne'nin bir Osmanlı taşra şehri değil, bir başkent mimarisine kavuştuğunun müjdecisidir.

Musa Çelebi ne kadar ilginç bir hükümdardır. Fetret devrinde Şeyh Bedrettin gibi ilmi ile tanınan, aslında bir hukuk ve din bilginini kazaskeri yapıyor. Ve Musa Çelebi Osmanlı tarihinde bu nedenle Rumeli'de baş kaldıran, Rumeli'ye hükmeden kuvvet olarak addedilmektedir. Birtakım tarihçilerimiz onu meşru bir hükümdar olarak tanıyorlar ki haklıdırlar. Resmî Osmanlı tarihinde de Fetret devrinde ne Şehzade Süleyman'ı ne de Musa Çelebi'yi, yani Emir Musa'yı hükümdar olarak tanımışlardır. O yüzden de büyük Kanuni'nin tahta çıkış sırasına göre I. veya II. Süleyman mı olduğunu tartışmak abestir.

Ben resmî eğilimi okul kitapları için kabul etmek niyetindeyim. Çünkü arkasındaki hanedan ve mesuliyet münakaşasını normalde kavramak mümkün değildir.

Diğer göze çarpan bir padişah camii hiç şüphesiz ki II. Murad'a atfedilen Muradiye'dir. Zaten şehrin ana yolu sayılan Sinan caddesiyle ulaşılan bu küçük cami çok ilginç bir şekilde uzun yıllar bir Mevlevi dergâhı olarak şehre ve imparatorluğun kültürüne hizmet etmiştir. Bugün bu dönemden kalan en ilginç şey, haziresindeki baklava biçimindeki mezar taşlarıdır ki, Mevleviliğin göstergelerinden, nişanelerinden biri olarak kalmıştır. Şehrin içinde Yıldırım Bayezid'in yaptırdığı nihayet Bayezid-i Veli dediğimiz II. Bayezid'e atfedilen selâtin camileri de önemli eserlerdir. Edirne bedesteni ile ünlüdür. Ve nihayet ikinci derece hanedan mensuplarının yaptırdığı İsmihan Sultan Camii gibi, yani II. Selim'in kız kardeşi ve imparatorluğun hiç şüphesiz en büyük sadrazamı Sokullu Mehmed Paşa'nın zevcesi olan İsmihan Sultan'ın yaptırdığı cami ve daha trajik görünümlü Kışla Camii yer alır. Kışla Camii'ni bir mimari eser olmaktan çok, bir siyasi nişane olarak dönüm taşı olarak ele almak isteriz. II. Mahmud tarafından yaptırılmıştır. II. Mahmut'un yeniçerileri ne kadar gaddarca ve acımasızca ortadan kaldırdığı malumdur. O kadar ki ölüler ve diriler bittikten sonra, mezarlarla da uğraşılmış ve yeniçeri mezarları üzerine vampir hikâyeleri uydurulmuştur. Fakat Edirne herhalde bu taş katliamından kurtulan ve çok güzel yeniçeri mezar taşlarıyla, üsküflü ve diğer nişaneli mezar taşlarıyla bize o günleri hatırlatan bir şehirdir. Bu mezar taşlarını kıymetinden dolayı bugün müzede görmek mümkündür. Nihayet Şeyh Şecaaddin Camii dediğimiz yere de bakmakta fayda vardır.

Bu şehir imparatorluğun satvet günlerinde, söylediğim gibi, padişahların sığındığı bir yerdir, bilhassa Bayezid-i Veli Camii'nin, Meriç kıyısındaki o zarif cami kenarında bulunan Darüşşifası bildiğiniz ilk ruh hastalıkları hastanesi diyebileceğimiz yapı, medresenin ortasındaki külliyeyle birlikte bir güzellik teşkil etmektedir. Bu civarlardaki Edirne Sarayı ise 18. yüzyıl sonunda geçirdiği yangın dolayısıyla sadece gravürlerde ve doktora tezlerinde yaşamaktadır.

Bu büyük şehir bir zamanlar söylediğimiz gibi batıdan gelen kervanların ve batıya gidenlerin dinlence ve alışveriş yeriydi, sonra çöküşün ve facaların temerküz ettiği bir nokta oldu. İlk defa 1828-

Çeşme Meydanı *J. Tingle.*

1829 yıllarında Rus orduları girdi. Bu Edirne için yaşanan ilk facia-
dır, imzalanan Edirne anlaşması ile de hepinizin bildiği gibi kuzeyde
Tuna mansabında Besarabya'yı (Boğdan) ve asıl önemlisi bugünkü
Mora yarımadasının ucunda Atina ve Nauplia, Anaboli dediğimiz
bölgenin başkentini kaybettik. Bir küçük Yunan krallığı bağımsızlı-
ğını aldı, başına da Bavyera Prensi Otto getirildi. Ardından 1878'de
Tuna'da çözülen ordumuzu izleyen Rus ordularının ikinci defa işga-
line uğradı. Bu bozgunla Edirne tekrardan Rus ordularını gördü.

Şunu belirtmek zorundayız: Gelen ordunun komuta kademele-
rinin de aslında ihtikâr ve hastalıktan pek canı kalmamıştı. Dola-
yısıyla Edirne, Rus orduları ile birlikte kolerayı gördü. Ardından
tarihte ilk ve son defa birleşen Balkan milletleri 1912–13 kışında
Edirne'yi zorladılar. Şükrü Paşa gibi modern Osmanlı askerî tarihi-
nin hiç şüphesiz en yetkin generallerinden biri olan, son derece
yüksek askerî malumata ve umumi kültüre sahip adam, inatçı sa-
vunmacı oldu. Ordumuz burada mühimmatsız, cephanesiz, ağaç

SON İMPARATORLUK OSMANLI

Kenar semtlerden bir sokak. *J. Sands.*

kabuklarını yiyerek bir kışı geçirdi. Ve şerefle şehri savundu. Tabiî sonunda Bulgar ordusu içeri girdi, ama bir müddet sonra söylediğim gibi, Enver Bey (sonradan Enver Paşa) burayı II. Balkan Savaşı'nın Sırp-Yunan-Bulgar çekişmesi arasında geri aldı. Onun verdiği şöhretle de hem mirlivalığa yani generalliğe, sonra hızla ordu komutanlığına ve başkomutan vekilliğine, yani padişah vekilliğine kadar tırmanmıştır. Bu mutlu olay, Edirne'nin geri alınması olayı, bir bakıma Sarıkamış felaketine kadar giden, Paşa'nın çok erken askeri terfiinin nedeni olmuştur.

Edirne şu kadarını itiraf etmeliyim; bizim tarihimizde acıların ve satvetin bir araya geldiği şanlı bir şehirdir. Siluetiyle bize imparatorluğun Balkanlar'a açılımının ilk zamanlarını anlatır. Ve Edirne ne olursa olsun Balkanlar'ın temerküz ettiği bir şehirdir. Bugün tekrar bu görünümünü kazanmaktadır. Trakya bölümünün, yani devletin ve milletin, vatanın Rumeli bölümünün, Rumeli kültürünün merkezi olarak yaşadıkça da bu vasfa sahip olacaktır.

Edirne hiç şüphesiz ki İstanbul–Edirne–Selanik–Draç veya Durazzo, öbür taraftan Filibe, yani bugün Plovdiv denen eski klasik Filipolis berzahı üzerinde düşünülmelidir. Çünkü Edirne'nin bir yerde ta Roma devrinde *Via Aegnetia* dediğimiz Adriyatik-Arnavutluk'taki Draç'tan Selanik'e ulaşan yol dolayısıyla önemi artmıştır. Osmanlı döneminde bu yol Edirne'ye kadar uzamıştır.

Edirne'yi kuran ünlü komutan, devlet adamı ve imparator Hadriyanus'un bizim topraklarımızda çok eserleri vardır; yani Antalya'daki Adrian kemerinden tutun, Antakya'daki köprüye, Efes'teki mabede ve şehrin, Adrianapolis'in kuruluşuna kadar uzanan çok önemli bir rolü vardır.

Edirne, Roma zamanından beri bir dönüm noktası, buluşma noktası rolünü oynamaktadır. Nitekim şehrin etrafındaki yerleşmeler ve eserler de bunu göstermektedir. Tekirdağ'dan başlayarak eski Tekfur Dağı veya Rodosto –Lüleburgaz– gibi, Babaeski –Baba-yı atik– gibi şehirler. Oradan Selanik'e veya Filibe'ye kadar uzanan, mesela Filibe'ye doğru uzanan Cisri Mustafa Paşa ve bugün Haskovo denen Hasköy gibi önemli şehirler bu etkiyi göstermektedir. Adeta Osmanlı döneminde Edirne'nin ikinci başkent olarak büyümesi Balkanlar'daki ticari yolları, yeni konaklama merkezlerini ortaya çıkarmıştır.

Selanik'in büyümesi ve önem kazanması, öbür tarafta Filibe'nin çok kayda değer gelişmeler göstermesi ve Balkanlar'ın ta Belgrad'a kadar uzanan berzahında birtakım eski köylerin yeni şehirler, mamur alanlar haline dönüşmesi Edirne'nin komutasındaki adeta bir şehirleşme faaliyeti, şehirleşme savaşı gibidir. Bu bağlantılar dolayısıyla da Edirne büyüdükçe büyümüş, başkent İstanbul'un yanında çok orijinal bir merkez halinde gelişmiştir. Ondan dolayıdır ki Bursa ve Edirne gibi şehirlerin kadıları da çok önemli bir mevkiye sahiptir. Bu kadılar, *Bilad-ı Hamse Mevalisi* dediğimiz beş şehir kadıları –çok önemli bir mevkiye sahiptirler– arasındadır. Ondan başka

Edirne, Rumeli kıtasının başkenti sayıldığı için, buralardaki komutanlar yani sancak beyleri ve beylerbeyleri de çok önemli mevkide sayılırlardı.

Edirne hiç şüphesiz ki saymakla bitmeyecek sanat dallarıyla, 16. ve 17. asırlarda mamur bir beldeydi. Bu önem, ta 20. yüzyıla kadar da böyle devam etmiştir. Ne zaman ki bir iç nehir sayılan Meriç–Tunca gibi nehirler bizim imparatorluğumuzun ve devletimizin sınırı olmuş, Edirne'de bir sınır şehri olarak bazı iktisadi sorunlarla karşılaşmıştır. Bugün kendisini değiştirmektedir ve Balkanlar'a doğru yeni açılımla Edirne'de de bu patlamayı, iktisadi patlamayı görüyoruz, hiç şüphesiz ki ardından kültürel patlama da gelecektir.

Edirne ile İstanbul bir bütündür. Bunlar, bizim milli hayatımızın, milli kültürümüzün başkenti olan iki şehirdir. İdari ve anayasal yönden bu başkent konumlarını kaybetmeleri onların iktisadi ve kültürel yönlerinin de gerilediği anlamına gelmez ve bugün Edirne ile İstanbul'un ne olduğunu anlamayan, burada inkişaf eden kültürü kavrayamayan bir kimsenin ne Balkanlar'ı ne Balkan kültürünün tarihini, ne de Türkiye'yi anlaması ve kavraması mümkün değildir.

OSMANLI – AVRUPA İLİŞKİLERİ

"Vira" aslında bir Slav sözüdür; inanç, güven demektir, "inanmak"tan (verit) gelir. Bunu bizim Osmanlı fetihleri sırasında çok görürsünüz. Bir kalenin virayla alınması, yani kendilerine teslim olmaları teklif edilen ve karşılığında malları ve canları bağışlananlar; kaleyi terk eder, anahtarları teslim ederler. Bu olmadığı takdirde kıyasıya muharebe edilir ve kalenin askerler tarafından yağması caizdir, çünkü orada çok pahalıya mal olan bir direniş söz konusudur. Hem maddi bakımdan hem de can bakımından.

İstanbul vira ile alınmadı. Muharebe çok uzun sürdü. Bununla birlikte Fatih Sultan Mehmed'in İstanbul virayla alınmadığı halde muhasaradan sonra şehrin yedi gün boyu yağmasına müsaade etmediği açıktır. Çünkü İstanbul artık imparatorluğun başkenti olacaktır. Ve asıl bundan sonra Osmanlılar bir imparatorluk olarak tarihî yoluna devam edecektir. Burada bir konunun üzerinde duralım.

Şehrin alınmasıyla Türk ve Batı dünyası arasında hem bir gerilim hem de bir antlaşma, adeta üstü örtülü bir antlaşma söz konusudur.

Türklerin Avrupa'daki hâkimiyetleri Batı dünyası tarafından artık ister istemez tasdik edilmektedir ve politikaları o yönde olacaktır. Asırdan asıra bu nedenle gâh bir antlaşma, bir itilaf, bir birliktelik, gâh sıkı sıkıya bir çatışma, bir gerilim görülecektir. Ve Avrupa devletlerinin bir kısmı antlaşmanın içinde, diğerleri Türklerle daimi gerilim içindedir. Bu vakadan 10 sene kadar evvel Floransa'da bir konsil toplanmıştır. Bizans imparatoru *Manuel Paleologos* özellikle Batı ve Doğu kiliselerinin birleşmesini çok istemektedir ve Batı kilisesi de buna taraftardır. Yani 10. asırda başlayan Doğu ve Batı kiliseleri arasındaki büyük *schisma* yani ayrılık, bu konsilde sona erdirilmek istenmektedir, konsilin ana amacı budur. Burada sadece Bizans'tan giden, çok yetenekli, Batı dünyasını ve dillerini tanıyan *Besarion* gibi din adamları da değil, Rusya'dan da gelmişlerdir yani o zamanki tabiriyle, *Başpiskopos İzidor*'da bunların içindedir. Bu konsilin oturumları son derece parlak geçmiştir. *Kardinal Cesarini* ve *Besarion*'un Latince ve Yunanca nutuklarıyla iki kilise arasındaki doktrin ve akide aykırılığı ve ayrılık bitmiş gibi görünmektedir.

Ne var ki, ne İstanbul ne de Moskova bunu kabul etmiştir. İzidor Moskova'ya döndüğünde hapsedildi ve Moskova bu birleşmeyi tanımadığını açıkça ilan etti. Aynı şekilde İstanbul'da resmî çevreler bu birleşmeyi kutsasa da, halk buna isyan etti. Çünkü 1204 yılındaki Haçlı istilası hâlâ bütün kanlı anılarıyla, Doğu Romalıların hafızalarına nakşedilmişti ve ayrılığı teşvik eden, birleşmeyi istemeyenlerin başında da azledilen patrik *Ghennadios* geliyordu. Halk, makamından edilen ve Zeyrek'te Pantokrator Kilisesi'ne çekilen bu din adamının etrafında toplandı. İşte Fatih'in patrik olarak göreve çağırdığı, İmparatorluk dahilinde Balkanlar'daki, doğudaki ve İstanbul'daki Hıristiyanların, ruhani, mali, kültürel idaresine teslim ettiği din adamı buydu. *Ghennadios,* yeni Roma kilisesinin, patrikhanenin başına getirildi –bu olaydan aşağı yukarı 150 sene sonra Fener semtinde bugünkü mevkiine geçecektir– ve bütün Osmanlı İmparatorluğu'ndaki Ortodoks inanışın ve Ortodoks inançtaki milletlerin başı oldu. Fatih çok üstün, protokoler bir görev verdi Rum patriğine.

Tabiî İstanbul'da bu gelişmeler olurken, Batı Roma kilisesi de Fatih'in ve yeni fethin önemi konusunda uyanmıştı. Çok ilginç bir şekilde o zamanki Papa, kendisini yeni dine davet etti. Bu Roma Katolisizmi'ydi. Papa II. Pius bir mektup yazdı: "Hıristiyan ol, Hıristiyan olduğun takdirde dünyanın hâkimi zaten sen olacaksın" demeye getiriyor. "Bunun için sana gereken şey..." –aynen kelime şudur: *"aquae pauci"*– "birazcık su", yani vaftiz olmasını öneriyor. Vakıa bu mektubun gönderildiğine dair bir delil yoktur; fakat müsveddeleri ve ana teması esas itibariyle arşivlerde bulunmuştur ve vardır. Tabiî ki Fatih'in mektuba iltifat etmesine imkân yoktur. Burada öyle bir münakaşa çıkıyor. "Fatih aslında Hıristiyandır" deniyor. Tabiî, o bir parça *Mehmed der Eroberer* adlı kitabın yazarı Franz Babinger'in tarihçi kurnazlığıdır. Yeni tetkikler bu mektubun sadece müsvedde halinde kaldığını söylemektedir. Ama en azından Batı böyle bir projenin gerçekleşeceğine inanmıştır ve hiç değilse teşebbüs etmiştir.

Oysa bu taraftaki politika değişik olmalıdır: Doğu Roma'yı yani İstanbul'u Batı'dan ayırmak, dolayısıyla Hıristiyan âlemini iki kategori altında toplayıp zayıflatmak. Burada şehrin hâkimi kendisine *Konstantiniyye fatihi* diyor. Yani İstanbul'u kuran İllirya asıllı ünlü İmparator Konstantin'in mirasına herkes saygı gösteriyor. İstanbul'un adı 18. asırda, III. Mustafa'nın emriyle İslambol'a çevrilmiştir bir müddet için. Hatta bu dönemin mezar taşı kitabelerinde, sikkelerinde, fermanların bile altında *İslambol* ismi görülmektedir. Sonradan bu terk edilmiştir. Tekrar *Konstantiniyye* ismi kullanılmıştır. İstanbul'un mütareke yıllarında, Birinci Cihan Harbi'nden sonra Hellenler tarafından, bildiğimiz büyük İmparator Konstantin'e değil de, Yunan kralı Konstantin'e ithafen *Konstantinopol* olarak adlandırılması Türklerin hışmını çekmiştir. Ve o günkü hava dolayısıyla da *Konstantinopolis* ismine karşı bir husumet duyulmuştur. Burada böyle bir tarihî olay da söz konusudur. Çünkü mütareke döneminde hepimizin bildiği gibi küçük Yunanistan'ın kralı Konstantin'di. Onun adının bu şehre verilmek istenmesi veya Konstantinopolis'ten onun isminin kastedilmesi hiç şüphesiz ki kabul edilebilir değildir.

İstanbul'un fethiyle ne olmuştur?

İster istemez, Türklük, Osmanlılık Avrupa âleminin zihniyetinde yer etmiş ve ikincisi Avrupa coğrafyasında Türkiye'nin yeri artık sarsılmaz bir hal almıştır. Bunun değişmeyeceği anlaşılmıştır. Bundan sonra ona göre bir politika gelişmektedir. En başta İtalyan şehirleri... Fatih, İtalyan şehirlerini, Venedik ve Cenova'yı, bir şekilde saf dışı etmektedir. Ama Cenova kolonisinden aldığı Galata gibi bir koloni şehirde bunların ticarete devamında hiçbir mahzur görmemektedir. Kaldı ki Floransalılarla ilişkiler devam etmektedir. Venedik balyosu İstanbul'da makbul bir yer edinmiştir. Yani Bizans'a müzahir olan (arka çıkan) Cenova'ya karşılık onun rakibi Venedik elde tutulmaktadır. Ama şaşılacak şey, bir müddet sonra Venedik de bu fetih dolayısıyla gerileyecektir. Yani ilk netice, İtalya'nın bütün Ortaçağ boyunca Akdeniz'de ve Avrupa'daki üstün yeri, ticarete dayanan üstün yeri gerilemektedir. Bunun hiç şüphesiz İtalya'yı ve Avrupa'yı yaratan üstün medeniyete de darbeleri olmayacak değildir. O yüzden bir anti-Türk anlayışı anlamak mümkündür, ama bu kaçınılmazdır. Tarihçi olarak, ne olduğunu anladığımız bu anti görüş ve davranışı da affetmek mümkün değildir. Türkler İtalya'ya yerleşse mutlaka Rönesans'ın içinde payları olacak ve mutlaka Doğu Akdeniz dünyası, İtalya ve Batı ile daha yakın bir kültürel saçaklaşma (*fringe*) içine girecekti.

Hiç şüphesiz ki gene Avrupa'nın içerisinde çelişkiler devam etmektedir. Bunun üzerinde duralım. Protestanlık... Mevcut Katolik ligaya yani kudretli İspanya'ya, kudretli Avusturya ve bazı Alman prensliklerine ve kudretli Fransa'nın dinî anlayışına karşı ortaya çıkan Protestanlığı Osmanlılar desteklemekte gecikmemiştir. O kadar ki, 1526'da ilhak edilen Macaristan'ın önemli kısmı, yani bugünkü Macaristan kısmı Katolik olduğu halde, Erdel dediğimiz bugün Romanya'da kalan, Transilvanya Macaristanı'nda Protestanlık, Lutherci mezhep hâkimdi ve Türkler, yani Osmanlı İmparatorluğu Lutherciliği ve Protestanlığı tutmuştur.

Devrin Avrupa anlayışında, inancı temsil eden alegorik resimlerde kilise gemisi denen, yani Papa'nın kaptan olduğu, azizlerin üstünde bulunduğu kilise gemisinin ilerlediği denizde birtakım ifritler ve cinler vardır. Bunlardan bir kısmı Protestan şapkalıdır, bir kısmı Türk sarıklıdır. Yani kilisenin iki düşmanı bu camia olarak görülmektedir. Her yerde Protestanlık –Luther'in anti-Türk anlayışına rağmen– Türklere karşı eski kutsal savaş ruhunu kaybeden Hıristiyanlıkla aynı anlama gelmektedir.

Ve unutmayalım 15. asırda Gırnata'nın yani Granada'nın düşmesiyle İspanya'dan sökülüp atılan Yahudilerin yavaş yavaş İtalya üzerinden Osmanlı ülkelerine sığınması gibi bir olay Türklere Yahudilerin desteğini ve dostluğunu kazandırmıştır. Bu göç eden Yahudi burjuvazisinin 16. asır hayatımızda hekimlikten matbaaya, bankerlikten diplomasiye çok büyük faydası olmuştur ve Türklük Hıristiyanlığa karşı bir başka müttefik daha bulmaktadır. Bunlar Türk Müslümanlığının Batı'da unutulmayan kalıntılarıdır. Ne İran'da ne de Araplar arasında böyle bir durum söz konusu olduğu için anti-İslam, İslamiyet karşısı tavırda Batı Hıristiyanlığı bunun için öncelikle Türklere karşı yönelmektedir.

Ve nihayet unutmayalım, Türklerin askerî örgütlenme bakımından daha başlangıçtan itibaren, Batı'daki gelişmeleri anında takip etmesi, ateşli silahlar endüstrisine girmesi, yüzde 90'ı göçebeler ve köylülerden oluşan bir imparatorluktan beklenilmeyecek şekilde tersaneler ve tophaneler inşa etmesi ve top endüstrisinde ileri adımlar atması konvansiyonel silahlarla savaşan bir Rönesans ordusu ortaya çıkarmıştır. Bu Rönesans ordusu ön planda Avrupa'ya karşı başarı kazandığı gibi, doğuda Memluklar ve İranlılara karşı da büyük başarılar kazanmıştır. Yoksa Şah İsmail Safevi'nin ordusu da Türklerden oluşuyordu, onlar da Osmanlı kadar cesur ve şecaat ile çarpışan askerlerdi. Orada ateşli silahlar sayesinde savaşlar kazanılmıştır. Dolayısıyla bu durum karşıda top ve tüfekle harp eden –özellikle bu iki kelime önemlidir– konvansiyonel silahlarla savaşan bir Müslüman imparatorluk imajı çıkarmıştır.

O kadar ki Batı düşüncesinde Türk demek, aynı şekilde "heretism" (dini bakımdan sapkınlık) demektir. Mesela Protestanca fikirler edilen, Protestanca inançlara sapan, kilisenin hiyerarşisine karşı çıkan bir insana engizisyon mahkemesinde "Türkleşmiş, Türkleşen fikirlere ve inançlara sahip" diye suçlama yapılıyor *Carlo Ginzburg*'un *Il Formaggio e i Vermi (Peynir ve Kurtlar)* adlı eserinde. Burada sanki bir zamanlar komünizmle Rusluğun aynileştirilmesi gibi bir halk inancı, bir halk terminolojisi, bir deyim sapması söz konusu. Ama boş değil...

Gerçekten 15. ve 16. asırlarda ortada İslam adına savaşan, genişleyen, birtakım kavimleri İslamlaştıran, Bosna'da ve Arnavutluk'ta olduğu gibi, Türklerdir. Onun için bu isim çok önemlidir. Bunun çok önemli bir yanı daha vardır. Haçlı düşüncesine karşı hem sözlü, hem de yazılı edebiyatta çok canı yanan, buna çok acıyla bakan Balkan Hıristiyanlığı, özellikle Helenizm ve gene Batı Avrupa'ya karşı Polonya dolayısıyla, Almanya dolayısıyla, Avusturya dolayısıyla gerçekten şüpheyle bakan Moskova'da bir Katolisizm düşmanlığı vardır. Bu Katolik düşmanlığı özellikle Balkan bölgelerinde ve Osmanlı İmparatorluğu'nda, Rum-Ortodoks düşüncenin ve kilisenin Türk hükümdarlarının idaresini istemesini kolaylaştırmaktadır.

Nitekim daha ilk anda *Kritovulos* gibi bir tarihçinin, adeta Fatih Sultan Mehmed'in idaresini olduğunun da üstünde yüceltmesi bunu gösterir.

Devrin Hellen yazarları için *Fatih Sultan Mehmed* en büyük hükümdardır. Bütün insanlığın görebileceği en bilge ve bilgili hükümdardır. Onun Yunancası görülmemiş derecede iyidir, bu bir abartmadır. Kendisi bu konuları çok iyi bilmektedir. Gerçekten de Fatih Sultan Mehmed komplekssiz bir Türk münevveridir, bir Şark münevveridir. Maalesef örnekleri bugün dahi az görülür, yahut hiç görülmez. Şark dillerine ve dine çok hâkim olduğu gibi, Batı dillerine de, Yunancaya ve Latinceye de bir ölçüde vakıf ve hürmeti vardır. *İlyada*'yı okutmak için kendine bir sekreter tutmuştur. Troya savaşlarını bilmektedir. Büyük İskender'in tarihiyle çok ilgilenmektedir, Roma tarihiyle ilgilenmektedir ve adeta kendisini Troyalıların tarihteki yeni temsilcisi gibi görmektedir. Bu çok enteresan bir yaklaşımdır. Bu derecede Batı'nın ve Doğu'nun sentezini yapan bir büyük hükümdarın kişiliğinde, aynı zamanda da yeni bir münevverin, bir aydının portresini tesbit edebilmemiz mümkündür.

Şimdi Doğu ne olmuştur? Bir kere Doğu Roma İmparatorluğu'nun sona ermesi, genelde Roma'nın mirasının Türkler tarafından alınması Batı'da büyük bir problem yaratmıştır. İşte bu dönemde *Bizans* ismi ortaya çıkmıştır. 16. yüzyılın başlarında *Hierronymus Wolff* adlı bir Alman hümanisti, kendi başına çıkıp, bu imparatorluğa Bizans ve ahalisine de Bizanslılar demektedir. Bu uydurmadır... Çünkü küçük Bizans şehri bugünkü Sarayburnu noktasındadır. Bunu o topraklarda yaşayan insanların çoğu bilmezler, kendilerine Romalılar derlerdi. Ve nitekim Küçük Asya'yı onlardan alan Türkler de devlete "Roma İmparatorluğu" ve kişilere de "Rumi" demektedirler. Demek ki burada bir emperyal iddia söz konusudur ve Roma ve Rum ismi *Hellen* demek değildir. Bunu bilmemiz lazım. Bu bir üniversal imparatorluğun adıdır.

OSMANLI – RUSYA İLİŞKİLERİ

Rusya hiç şüphe yok ki devletimizin, milletimizin tarihinde ve oluşumunda en önemli unsur olan kuzey komşumuzdur. Şu kadarını belirtmek gerekir ki kuzey komşumuzun bütün hayatında ve Rus milli devletinin, milli hayatının oluşumunda da Türlerin rolü bunun kadar önemlidir ve ezcümle 16. asırdan itibaren Rusya'nın tarihindeki en önemli unsurlardan birisi Türk İmparatorluğu ve onunla yapılan savaşlar olmaktadır.

Rusya ile yani Moskof devleti ile diplomatik temas kurmamız II. Bayezid devrine rastlar. 1490'lardaki bu ilişki elçi teatisinde başladı ve 1993'te, "Rusya ve Türkiye ilişkilerinin 500. yılı" başlığı altında ele alındı. Burada bir konunun üzerinde durmak gerekiyor. Bizim diplomatik protokolümüzde Rusya'nın yeri ne Avusturya ne İran ne de Venedik Cumhuriyeti'ydi. Bir kere büyükelçilerin bu tarihte ve daha sonra gelip gitmelerine rağmen esas itibariyle büyükelçilerin muhatabı yani Rus sefirlerinin muhatabı Kırım Hanlığı idi ve Rusya'da bu durumla ilgili kayıtlar bugün *Posolski Prikaz* denen sefaret kalemi veya sefaret dairesi diye tercüme edilebilecek olan bir bölümde bulunur. Bunun başında çok ilginç bir biçimde devrinin kıyafeti bile Reisü'l-Küttab'a benzeyen *Golova Posolski Prikaz* (sefaret kalemi şefi) bulunur. Reis-ü'l-Küttab'a benzemesi bir tesadüf müdür? Öyle de olabilir, araştırılması da gerekir.

Her halükârda şunu itiraf etmek gerekir ki herhangi bir Osmanlı namesinin yani padişahın Çar'a gönderdiği mektubun en doğru tercümesinin burada yapıldığını, bu ofiste yapıldığını, hayretle müşahede edersiniz. Aynı şekilde Rusya üzerindeki Türk bilgileri de hiç fena değildir. Hatta bazen arşivlerde buradan giden namelerin özel bir kâğıda yazıldığını, adeta Rusya'nın iklimine havasına göre bir kâğıt imal edildiğini düşünmek mümkündür. Bunlar o derece de anlaşılmayan konulardır. Bir yerde yoğun bir tarih yaşanmıştır. O modern Rusya ve Türkiye bu yoğun tarihi yoğun bir şekilde araştırmayı ve öğrenmeyi becerememektedirler.

Rusya'nın ilk sefiri İstanbul'a yani Osmanlı'nın başkentine 1700 İstanbul Anlaşması'yla gelir. Gelen de büyük yazar Tolstoy'un dedesinin babası Piyotr Tolstoy'dur. Çok ilginç bir biçimde bu zat yabancı dil olarak İtalyancadan başka bir şey bilmiyordu, niye bilmiyordu çünkü Büyük Petro'nun kurduğu bahriye kuvvetlerinde subaydı. Çok çalışkan biriydi. Sayfalarla yazdığı raporlar bugün tarihçiler için tükenmez bir kaynaktır. Osmanlı İmparatorluğu'nun 18. asır başındaki ilk on bir yılının ondan öğrenilmesi gerekir. Gene de Prut Cengi başladığı zaman Piyotr Tolstoy, Yedikule zindanlarına kapatılmaktan kurtulamamıştır.

Osmanlı Devleti, Rusya ile büyükelçi mübadele eder. Büyükelçi mübadelesi çok ilginçtir. Çünkü geçen asırlarda her devlet büyükelçi teati etmezdi. Ancak büyük devletlerin büyükelçi teati etmeleri âdetti. Ve bunlar fevkalade yetkili büyükelçiler olur, politikayı bugünkülerden çok daha farklı yürütürlerdi. Bugünün büyükelçisi aslında randevu ayarlayan bir memurdur. Yani ülkesinden bulunduğu başkente gelen çeşitli heyetlerin münasebetlerini, kuracakları ilişkileri, ziyaretleri ayarlar, gündelik raporlar yazar, hoş bu raporları bazen bilim enstitülerinin ve gazetecilerin diplomatlardan daha iyi yazdıkları da olur. Bunun dışında bilhassa Avrupa devletlerinin, Avrupa birliğine dahil devletlerin büyükelçileri olur, bizde bol bol insan hakları meseleleri ile uğraşırlar ve bu yüzden iç hayatımızda da gürültü kopardıkları olur. Bu gibi durumlar 19. asırda da görülüyordu ve Rusya sefiri Balkanlar'daki kalabalık Slav azınlığın haklarını savunmak babında her zaman öndeydi ve Bab-ı âli'de mesele çıkaran insanların başında gelirlerdi. Şu kadarını söylemek gerek ki Çarlık Rusya'sını hiç tutmayan Marx ve Engels ve bilhassa Engels Rusya'nın Balkanlar'daki halkın onda dokuzu ile yakın bir dil beraberliği içinde olduğunu ve onların hayatlarını günü gününe takip ettiğini, hatta siyasi kışkırtmalarda bulunduğunu söylüyor ki, bu doğrudur.

Bir konsolosluk ağı vardı. Biz bunu mekteplerimizde tek taraflı okuruz, düşünmeyiz karşılığında Osmanlı İmparatorluğu ne yapıyor? 19. asırda Devlet-i âliyye'nin Kırım'da, Sivastopol başta olmak üzere Kafkasya'nın belirli merkezlerinde, Petersburg'da, Odessa'da konsoloslukları vardır. Asya'ya doğru –bunun içine Batı da girerdi ve buradaki konsoloslar Müslüman halkın içtimai teşkilatlanmasında çok aktif rol oynarlardı– devletin politikası Rusya diplomatik temsilcilerinin aksine gürültü koparmak değildi. Ama gürültü koparmadan çok işlerin başarıldığını söylemek gerekir.

Rusya Müslümanlarının mektepleşmesi, buradan birtakım kabiliyetli gençlerin buraya celb edilip okutulması, asıl önemlisi Hicaz Demiryolu gibi yatırımlar için para toplanması Rusya ile kurulan ilişkilerde başlıca unsurlardan biriydi.

Rus çarları ve ezcümle Çariçe Katerina nasıl ki Türkiye imparatorluğundaki Ortodoksların hamii ise, hiç şüphesiz ki anlaşma hükümlerine göre Osmanlı padişahı da Rusya Müslümanlarının' halifesi, dinî lideri olarak bir kisve kazanmıştı. Aslında hilafet ruhani bir mevki değildir, fakat o zaman böyle yorumlanmıştı ve bu masum olmaktan çok, diplomatik yanlışı da doğrusu bizim devlet adamlarımız canı gönülden benimsemiş ve bu politikayı götürmüşlerdir.

Rusya ile savaşların asıl önemlisi 1699 Karlofça Antlaşması ile biten Viyana Kuşatması'nı izleyen harplerdir. Bizim "Deli Petro" dediğimiz Büyük Petro, Azak kalesini ve civardaki yerleri almayı başarmıştır. Vakıa bunların hepsini 1711 Prut Barışı ile geri vermek zorunda kaldı. 18. yüzyıl boyunca Rusya ile Türk imparatorluğu, Avusturya ile Rusya birlikteliğinde tekrar karşı karşıya geldiler.

Avusturya ve Rusya'nın orduları en mükemmel komutanlara sahipti. İşte Prens Eugen, Avusturya tarafında, Rusya tarafında en başta ünlü mareşal –o zaman general tabiî– Suvorov. Mesela İsmail kalesinin Ruslar tarafından alınması, çok önemlidir. Ve bu uzun savaş boyunca itiraf etmek gerekir ki askerî müesseselerini bir şekilde ıslah etmeye muvaffak olan Osmanlı İmparatorluğu zaman zaman yenilgiye uğramış, fakat zaman zaman da kayda değer zaferler kazanmıştır. O yüzden ki bizde iyi bilinmeyen 18. yüzyıl, bir "gerileme devri" diye gösterilmektedir ki bu yanlıştır.

Askerî tarihlerinin en parlak dönemlerini yaşayan iki müttefike, kuvvetli iki müttefike karşı durmasını bilen bir Osmanlı İmparatorluğu vardır. Hiç şüphesiz ki kurumlar gerilemiştir, ama iş değişmemektedir.

18. yüzyılda bizim Rusya'ya bakışımız da değişmektedir. Büyük Petro devrinde oraya giden büyükelçilerimiz Büyük Petro'nun yaptıklarından delilik, maskaralık diye bahsetmektedir. Yani bir bakıma hakikaten skandalla biten ve Rus hayatı içinde pek de yeri olmayan o saray baloları, Çar'ın çok masraflı askerî reformları, başarısız sayılması gereken donanma girişimleri... Aslında Rusya'yı Batı'ya açan o faaliyetler bir yerde Rus halkının ve boyarlarının yani

SON İMPARATORLUK OSMANLI

Sinop'ta Türk-Rus savaşı. *Lechard.*

zadegânın büyük kısmı gibi Osmanlı elçileri tarafından da olumsuz olarak değerlendirilmiştir. Ama inatçı bir haricî politikamız ve gözlemimiz olmadığını belirtmek gerekir.

Nitekim bir müddet sonra, bilhassa onun kızı Çariçe Yelizaveta ve II. Katerina devrinde değerlendirmeler değişiyor. II. Katerina Rusya'ya III. Petro'nun eşi olarak gelmiş, Anhalt-Zerbst hanedanından bir Alman prensesidir; onu darbeyle indirerek tahta oturmuştur. Dedikodular doğru ise –gerçi jeneoloji, şecere bilgisinde dedikodu pek kaale alınmaz ama– kendisi Anhalt-Zerbst prensinin değil Prusya kralı Büyük Friedrich'in kızıdır. Her halükârda adeta Friedrich'deki o cevvaliyet, o inat, o kudreti tevarüs etmiş bir insandır. Bu kültürün yetiştirdiği bir prensestir. Rusya'nın despotizminin asıl aracıdır, fakat aynı zamanda da Rusya'ya aydınlanma fikirlerini sokan biridir ve bu değişimi artık Osmanlı gözlemcileri de nispet olarak değerlendirmektedirler. O yüzdendir ki 19. yüzyılın başında II. Katerina'yı ve Büyük Petro'yu anlatan, metheden ve Büyük Petro tarihini yazan eserler Türk hayatında çıkmaktadır. Bunlar ilk dış tarihlerdir denebilir, bir anlamda eskiden de Avrupa tarihleri vardır, ama bunların üzerinde siyasi, felsefi bakımdan durmak gerekir.

Burada ilginç bir nokta; Türkiye artık Rusya'yı o kadar tetkik etmeye başlıyor ki mesela Ahmet Cevdet Paşa, *Tarih-i Cevdet* adlı eserinde, Rusya'da Büyük Petro'nun *strelits*'leri yani eski tüfekçi askeri birliklerini kaldırmasını bizim yeniçerilerle mukayese ediyor: "Orada" diyor, "Devlet-i âliyye'nin kalbinde bir seratan, bir kanser olan yeniçerilikle Rusya devletinin sırtında bir ur olan strelitslerin kaldırılması aynı şey değil. Biri kaldırıldı, mesele bitti, hâlbuki yeniçeriliğin kaldırılması bir dizi değişiklikleri, inkılâbı gerektirdi." Çok iyi bir tahlildir bu.

19. yüzyıl boyunca Türkiye'de Rus kültürüne ve hayatına ilgi de uyanmıştır ve bu savaşlarda görülmektedir. Şu kadarını ifade etmek gerekir ki Sevastopol Savaşı dediğimiz, yani 1853–1856 Kırım Muharebesi, Osmanlı İmparatorluğu'nun, Fransa ve İngiltere'yle hatta Piemonte gibi küçük bir İtalya devletiyle müttefik olmasına neden olmuştur. Mustafa Reşit Paşa dâhiyane bir diplomatik manevrayla III. Napoléon'u adeta kandırarak bu savaşın içine sokmuştur. Çok kızardı ona III. Napoléon ve Avrupa'da bu hiddeti ironik bir üslupla zikredilirdi; bu nedenle de Paris Kongresi'ne Mustafa Reşit Paşa'nın delege olarak katılmasını resmen önlediği malûmdur. Katılan tarafların hepsinde büyük can ve mal kaybına yol açan savaşla birlikte, unutmayın ki ilk defa Osmanlı İmparatorluğu'nu yönetenler ve halkta –tırnak içinde– "gâvur" dediğimiz uzak insanlara karşı bir sempati uyandı. Çünkü gördükleri Avrupa ordularında genç insanlar gidip Kırım'a ölüyorlar müşterek düşmana karşı. Paris Barışı'yla 1856'da Osmanlı İmparatorluğu bir Avrupa büyük devleti olarak Avrupa *Concert*'inin, bu büyük birliğin içine girmektedir. Artık Sultan Abdülaziz'in Avrupa seyahatiyle; Avrupa devlet reisleri ve

hükümet reislerini onurlandırması şart olmuştur. Bir daha da böyle bir dış gezi yapılmadı.

Hicri tarihle 1293 Savaşı dediğimiz, 1877–1878 savaşında yenilmemize rağmen Osmanlı komutanları askerî güç ve stratejik bilgi sahibi olduklarını göstermişlerdir. Gerçekten bu savaş iki taraf ordusunun da çok inatla kahramanca savaştıkları bir tarihî olaydır. Belki 1856'yla kaybettiklerini Rusya yeniden kazanmıştır ama Balkanlar'da umduğunu bulamamıştır ve bu harbi uzun bir sulh dönemi takip etmiştir. Bu savaşa sebep olanlardan biri 19. yüzyıl tarihinde sadece Rusların değil Midhat Paşa ile birlikte tüm 19. yüzyılın en önemli valilerinden olan İgnatiev'dir. Ama bize elçi olarak geldiği zaman entrikacı ve kışkırtıcı tarzıyla bu savaşı hazırlayanlardan, Balkan isyanlarını yanlış olarak yorumlatanlardan biridir. Aslında o kadar gücü yoktu.

Mahmud Nedim Paşa bu zatın elinde bir oyuncak olmaktan çok, kendi iptidai dış politika ve iç politika manevraları için onu acemice kullanmaya çalışan bir sadrazamdı. Her ikisi de, başkentteki büyükelçileri kızdırdı. Mahmud Nedim Paşa'ya karşı aynı derecede olan kızgınlıklarını General İgnatiev'e, "yalancı paşa" demekle göstermişlerdir.

Bir de işin öbür tarafı vardır. Ünlü romancımız Mithat Cemal Kuntay'ın *Üç İstanbul*'nda bu fark ortaya konmaktadır. II. Abdülhamid'in sembolik tipte mürtekip, yolsuz Bahriye Nazırı, Jön Türklerden Adnan'la konuşurken "Efendim, siz de Dostoyevski gibi, Tolstoy gibi yazın, Avrupa'da okunduğu gibi hayranlıkla okuyalım" diyor. Cevap: "Çar, Çariçe ile birlikte Tolstoy'un romanını okuduğu zaman, Çariçe gözyaşları içinde onu Sivastopol cephesinden geriye çekmiştir. Bizde de böyle mi oluyor?" Yani orada çok ilginç bir şekilde iki tarafın arasındaki inciler ortaya konulmaktadır.

18. yüzyıl boyunca bizim Ahmet Refik Paşa'mıza benzeyen aristokratlar vardır. Bunlar mesela Avrupa malzemesi kullanmıyor, Rus

tipi giyiniyor ve Rusya'da Rusça konuşulur diye evde Fransızca konuşmayı yasaklıyorlar. Ama şurası bir gerçektir ki bu büyük imparatorluk Balkan Slavları üzerinde kışkırtıcı rol oynamaktadır. II. Abdülhamid devrindeki Osmanlı İmparatorluğu bu politikaya karşı aktif bir İslamist politikayı tatbikata koymaktadır. Çeşitli İslam cemiyetleriyle ve Rusya Müslümanlarının, Türklerin önderleriyle temas kurulması, bunlara İstanbul'dan destek gösterilmesi, yani adeta barışçı bir sızma politikası tatbik edildiğini görüyoruz.

Rusya ile Türkiye arasındaki son savaşın I. Cihan Harbi'ni kapsadığını biliyoruz ve buradaki Brestlitovsk Antlaşması'yla da (ki 1918'de ihtilalin hemen sonrasında, Aleksandr Kerenskiy de devrildikten sonra, Bolşevik hükümetin Almanlar ve onların müttefiki Türkiye ile imzaladıkları antlaşmadır) bu zamana kadar süren uzun bir barış devresine girilmiştir.

***

Soğuk Savaş dönemi dediğimiz 50 yıl boyunca Türk-Rus ilişkileri maalesef öbür NATO ülkelerine göre en yoğun şüphe ve kapalılık içinde sürdü ve bunun çok olumsuz sonuçları oldu. Rusların değil turistleri, âlim ve uzmanları bile Türkiye'ye gelemezdi; hele Asya ve Volga cumhuriyetlerindeki Türk halkların Türkiye ile teması hiçbir şekilde mümkün değildi. İlişkilerin bu karanlık döneminde bu kavimlerin görüp dinleyebildikleri tek şair Nazım Hikmet'ti. Kim ne derse desin, onun Türkiye'yi Azerbaycan'a taşıdığı bir gerçektir.

Sovyetler'in ilk dönemindeki ilişkilerden biri de heyetlerin ziyaretiydi. Varaşilov'un Ankara ziyareti Sovyet dünyasında unutulmaz tesirler bırakmıştır. Güya dans bilmediği için Cumhuriyet Balosu'nda bir hanımın dansa davetini reddetmek zorunda kalmış ve sıkıntısından, dönünce bütün Kızılordu subaylarına dans öğrenmeleri emrini vermiş.

Soğuk Savaş yıllarındaki gerilimli ve kapalı dönem; özellikle kültür, sanat ve bilim gibi huzur ve sıcak ilişkiler isteyen dallarda duraksama hatta gerilemeye neden oldu. Daha da ilginci iki devlet çok uzun bir süre birbirlerini tam izole etmişlerdir, sınırlarını kapatmışlardır. Bunun zararını da en çok Rusya İmparatorluğu içindeki Türkî halklar, Müslümanlar çekmiştir. Maalesef bürokrasimizin ve en dışarıya açık kurum olan Dışişleri'nin de bu konuda olumsuz rolü olmuştur. Dönem içinde Amerikalılar ve diğer Avrupa ülkelerinin tarihçi ve Rusya uzmanları Rusya'da arşivlerde çalışmış, genç öğrenciler burslarla gidip Rusça öğrenmiş ve karşılıklı kültürel ilişkiler çerçevesinde Ruslar da oraya gitmişken, Türkiye kapılarını kapatmıştır. Bu kesinti yüzünden Sovyet Türkolojisi gereği gibi uzman yetiştiremezken, bizde de Rusya tarihi ve toplumuna dair hiçbir bilgi birikimi olmadı. Hatırlıyorum, Rus Dili Bölümü'nde öğretim görevlisi olan annem, ABD'nin çıkardığı *Amerika* adlı Rusça bir propaganda broşürünü okuturdu. Dil ve Tarih-Coğrafya Fakültesi gibi ilmî bir kurumda bile Rusya'dan yayın, hele süreli bir yayın getirtip okutmak çok tehlikeli ve memnuydu. Ancak, 1980'lerin sonunda bu makûs talih değişti. Bugün Rusya ile yoğun ilişkilerimiz var. Yüz binlerce insan karşılıklı gidip geliyor, her iki tarafta da çalışan ve ekmeğini kazananlar var. İki taraf da birbirinin dilini öğreniyor.

Rusya, Türkleri askerî ilişkiler kadar kültürel ilişkilerde de iyi tanıyan bir devletti. Sovyet dönemi ve Soğuk Savaş'ta da iki camianın ilmî, kültürel hayatı birbirine çok kapalı kaldı. Tarih boyunca Rusçanın içindeki Türkçe kelimeler ve aynı şekilde bu tarafta da Rusya'nın etkisi kâale alınmalıdır. Her şeyden evvel bu iki toplum Batı'ya rağmen, Batı'yla mücadele edebilmek için zoraki bir Batılılaşma çizgisinden geçmişlerdir ve ne gariptir ki Rusya Hıristiyan olmasına rağmen Müslüman Türkiye ile benzer Batılılaşma sancıları çekmiştir. Bu bakımdan yakın komşumuzun bizim kültürel hayatımızda çok etkileri olduğu, ama bundan daha da önemlisi aramızda çok büyük benzerlikler olduğu dikkate alınmalıdır.

timaş yayınları

tel / 0. 212 513 84 15 faks / 512 40 00

İLBER ORTAYLI

Osmanlı'yı Yeniden Keşfetmek

OSMANLI'YI YENİDEN
ilber ortaylı
KEŞFETMEK

Geçmişten geleceğe tarihi gelişmelere ışık tutarken, tarihin bıraktığı izleri irdeleyen, günümüzün "tarihi sevdiren adamı" olarak bilinen İlber Ortaylı bu sefer okuru Osmanlı'yı; padişahları, sarayları, yönetim şekli, semtleri ve abidevi eserleriyle kısacası kendine özgü kimliğiyle yeniden keşfetmeye davet ediyor...

D&R, Dünya Aktüel, Net Kitabevi, Remzi, Dost, N-T ve tüm seçkin kitapçılarda kitapçınızdan isteyiniz..